HEUREUX
COMME UN DANOIS

MALENE RYDAHL

HEUREUX
COMME UN DANOIS

BERNARD GRASSET
PARIS

ISBN 978-2-246-85228-5

© *Éditions Grasset & Fasquelle, 2014.*

Pour la liberté d'être soi-même
et le courage de poursuivre
une vie heureuse
12. 12.

Sommaire

Il était une fois...

Il était une fois une jeune femme danoise qui avait décidé d'écrire un livre sur le bonheur.

En pleine période d'écriture, elle se trouvait en vacances dans le sud de la France. Elle avait été invitée dans une très belle maison en bord de mer. Un grand dîner assez mondain avait été organisé dans un cadre magnifique. Les gens étaient beaux. Tout était parfait. Pour l'apéritif, on servait au choix un champagne vintage d'une grande année, de grands crus et tous les cocktails exotiques imaginables. On parlait de la belle vie : les voyages lointains dans les plus beaux hôtels du monde, les bonnes tables dans les meilleurs restaurants, la culture, l'art. Tout ce qui est agréable à vivre. Une vie de rêve. La conversation s'est soudainement portée sur son livre. La table s'est étonnée du titre, *Heureux comme un Danois*. «Mais pourquoi ce titre? Je ne vois rien de particulier dans ce pays qui pourrait rendre heureux les gens!» a dit un monsieur.

La jeune femme tenta d'expliquer la grande confiance des Danois, entre eux et à l'égard de leurs institutions. La volonté et l'envie de participer à un projet commun au bénéfice de la collectivité. Le système scolaire qui cultive le développement de la personnalité de chacun. L'importance de donner à tous les citoyens la liberté de trouver leur place. L'absence de course à «être le meilleur». Elle raconta que chez elle, on ne cherchait pas à avoir une élite, la priorité étant que la population soit heureuse dans l'ensemble. Et elle eut le malheur d'ajouter que, pour financer cela, la pression fiscale était la plus élevée au monde avec un taux marginal à presque 60% à partir de 52 000 euros de revenus.

Là, le même monsieur s'est impatienté. Il a élevé la voix: «Mais enfin quelle horreur! N'essayez pas de nous convaincre qu'un système pareil peut rendre qui que ce soit heureux.» Et il a continué: «Personne n'a envie de payer pour les autres. Et puis sans une élite, un pays n'a plus d'avenir.» Une femme a renchéri: «Moi je regarde la série *Borgen* (une série danoise sur la vie politique) et ils sont tous malheureux, c'est quand même n'importe quoi!»

Stop. Retour à la réalité.

Je suis bien consciente que le modèle danois ne peut pas plaire à tout le monde. L'idée de ce livre n'est aucunement de convaincre que ce modèle est meilleur qu'un autre. Il répond, tout simplement, à une envie de partager.

Je suis née, par hasard, dans le pays le plus heureux du monde. Je n'étais pas consciente de cette chance et j'ai choisi de quitter mon pays pour tracer mon propre chemin. Aujourd'hui, après avoir passé beaucoup de temps loin du Danemark, j'ai voulu faire le point, en dix clés toutes simples, sur un modèle de société qui semble en effet rendre les gens heureux, et ce depuis plus de quarante ans.

Les observateurs du monde entier s'accordent à penser que les Danois sont parmi les gens les plus heureux de la planète. Depuis l'un des premiers sondages européens sur la question en 1973, le Danemark arrive presque toujours en tête des classements internationaux du bonheur: numéro un du fameux «World Happiness Report» de 2012 et 2013 (la «bible» de l'organisation des Nations unies sur le classement du bonheur par pays, où la France, à titre de comparaison, est classée 25ᵉ en 2013), numéro un de l'Eurobaromètre 2012, numéro un du «Gallup World Poll» (un autre célèbre classement sur le «bonheur») de 2011, numéro un de l'European Social Survey de 2008... Pour un petit pays habitué plutôt à la modestie, c'est un beau palmarès.

Comment expliquer cela? Pourquoi cette petite population d'environ 5,6 millions de personnes se sent-elle aussi satisfaite, alors qu'il fait froid neuf mois sur douze et que, durant l'hiver, la nuit tombe à 15 heures? Que la pression fiscale est parmi les plus élevées au monde avec près de 60% d'impôt sur le revenu, 170% de taxes sur les voitures et une TVA à 25%[1]? Bizarre. D'ailleurs, lorsqu'on interroge les Danois sur ce titre de pays le plus heureux, ils répondent souvent: «Ah oui j'avais entendu ça, je ne sais pas si c'est vrai... mais on est bien ici, ça c'est sûr.» Comme à leur habitude, les Danois ne se vantent pas de grand-chose. Manifestement pas non plus d'être les plus heureux au monde. Cette modestie, très présente dans la culture danoise, est une

---

1. Skat.dk, site officiel du Trésor public danois.

des qualités constitutives de notre mentalité, et témoigne d'une certaine humilité vis-à-vis de la vie. Et puis tout n'est pas rose au Danemark : la consommation d'alcool et d'antidépresseurs demeure malgré tout élevée, tout comme le taux de suicide, par exemple. Est-ce que cela signifie pour autant que le bonheur danois est un mensonge ? Non. Pour les raisons que nous allons découvrir ensemble, la grande majorité des Danois se sentent sincèrement bien dans leur vie. Mais au Danemark comme ailleurs, la vie est complexe, et on ne peut établir aucune vérité générale.

Je suis moi-même née au Danemark, à Århus, la deuxième ville du pays (250 000 habitants). Après avoir grandi dans le pays le plus heureux du monde, et riche du bagage qu'il m'a donné, j'ai choisi de le quitter pour vivre ma vie et chercher ailleurs mon bonheur personnel. Je voulais faire le tri entre ce que l'on m'avait transmis et ce que je croyais être la vérité des choses à 18 ans : se frotter à la réalité est souvent une bonne manière de mettre ses références et ses convictions en perspective. A ce moment-là, je ne savais pas que le modèle danois était une référence mondiale en matière de bonheur. J'avais juste pris ce système comme un acquis,

quelque chose de naturel. Ce qui ne m'empê-
chait pas de me poser mille questions au sujet
de ses grands principes : était-ce vraiment bien
que tout le monde soit égal ? L'homogénéité
ne risquait-elle pas d'engendrer une société
certes égalitaire, mais médiocre ? L'humilité, la
modestie permanentes ne tendaient-elles pas à
endormir le potentiel de chacun ? Et finalement,
l'Etat-providence n'était-il pas un simple pré-
texte à la déresponsabilisation de ses citoyens ?
Je m'interrogeais aussi sur la notion de bonheur :
quel chemin prendre pour le trouver ? J'avais
besoin de confronter mes idées à l'épreuve de la
vie afin de me donner les meilleures chances de
devenir une femme indépendante et libre. Libre
d'être fidèle à elle-même.

Le chemin a été long. Et c'est le contact avec
d'autres pays et cultures qui m'a vraiment permis de prendre conscience de ma base de bien-
être danoise et de la consolider. Mes voyages à
travers le monde, en Asie, aux Etats-Unis, en
Europe m'ont ouvert les yeux sur la richesse
alentour. Le pays auquel j'ai donné mon cœur
et où je vis désormais, la France, m'a aussi
beaucoup inspirée, par sa richesse culturelle et
humaine, à trouver mon propre équilibre. C'est
donc depuis la France, aujourd'hui, que je me

permets d'évoquer, avec tout le recul nécessaire, le bonheur danois.

Avant d'explorer ses secrets, entendons-nous sur la notion de bonheur elle-même. Pas facile de la résumer. Beaucoup de définitions et de mots se confondent, selon les langues et les cultures : joie, plaisir, bien-être, félicité, satisfaction. Qu'est-ce qui le distingue ?

Il y a, à un niveau très concret, l'approche de la science : pour les experts de l'imagerie médicale, le bonheur est un état d'activité, déterminé et mesurable, des différentes parties du cerveau. Il y a aussi ce que nous dit l'étymologie : «bonheur» est issu du latin *augurium*, *augere*, qui veut dire accroître, augmenter. C'est l'indice d'une construction, de quelque chose qui se consolide dans le temps, et non d'un état passager. Il y a bien sûr le regard très riche des philosophes, des plus optimistes (Montaigne ou Spinoza) à ceux qui pensent que le bonheur est impossible (Schopenhauer ou Freud). Il y a encore ceux qui l'associent au plaisir (Epicure), ou ceux qui le lient à la foi (Pascal) ou à la puissance (Nietzsche).

Et puis il y a surtout l'essentiel, que l'économiste Richard Layard[1] dit très bien : le bonheur,

---

1. Sir Richard Layard, *Le Prix du bonheur*, Armand Colin, 2007.

c'est «le fait de se sentir bien, d'aimer la vie, et de désirer que ce sentiment perdure». J'aime cette définition, car elle est simple et nous pouvons tous la ressentir.

N'oublions pas non plus une nuance importante : la différence entre le bonheur collectif moyen d'un pays (celui que mesurent les fameux rapports sur le bonheur) et le bonheur personnel.

Pour ce qui est du bonheur personnel, les facteurs qui l'influencent sont nombreux et je ne suis pas sûre qu'il soit possible de les mesurer objectivement. Même s'il est souvent assez facile de faire la différence entre les gens heureux et malheureux, cela reste très intime et subjectif. Les experts, psychiatres, sociologues, spécialistes de neurosciences ou encore professionnels de l'éducation conviennent du fait que nous ne sommes pas forcément tous égaux face au bonheur. Nous naissons avec une aptitude plus ou moins grande à être heureux. Certains soutiennent même que la génétique jouerait à 100 % dans notre base de bonheur, et qu'il serait donc prédéterminé. Selon eux, le patrimoine génétique de chacun orienterait systématiquement le niveau de bonheur. C'est la théorie du point fixe (*set point theory*), soutenue par une étude de

1996 portant sur 300 jumeaux élevés ensemble ou séparément, et selon laquelle 80 % du ressenti émotionnel serait déterminé par la génétique[1] ! Heureusement, d'autres études tempèrent ce résultat à des ratios de 50 %. Le psychothérapeute Thierry Janssen[2], par exemple, parle d'une aptitude au bonheur qui serait influencée à 50 % par nos chromosomes et à 10 % par les conditions extérieures. Les 40 % de faculté au bonheur restants nous appartiendraient, ce qui nous laisse encore un peu de marge de manœuvre sur notre propre bonheur !

Pour ce qui est du bonheur collectif, qui est mesuré par les rapports mondiaux, les critères sont différents, et doivent être considérés avec prudence. Il y a eu de nombreuses tentatives pour le définir : le roi du Bhoutan, ce petit pays himalayen, avait par exemple créé en 1972 un indice du « bonheur national brut », un BNB qui se moquait un peu du PIB classique et reposait sur quatre critères : le développement économique, la sauvegarde de la culture et de l'environnement, le bien-être psychologique des individus et la bonne gouvernance. Le

---

1. *Lykken et Tellegen*, 1996.
2. Thierry Janssen, *Le Défi positif : Une autre manière de parler du bonheur et de la bonne santé*, Les liens qui libèrent, 2011.

concept a valu au Bhoutan le surnom de «pays du bonheur», mais il faut bien reconnaître qu'il a été mis à mal par la crise économique. Autre exemple, le fameux «Club de Rome», fondé en 1968 par des contributeurs du monde entier pour «un monde meilleur, pour le futur de l'humanité et de la planète»: ils ont évalué le bonheur, notamment avec un rapport de 1972 connu sous le nom de «rapport Meadows[1]», qui réclamait l'intégration de la qualité de vie dans les indicateurs économiques. Quelles que soient les approches, il est inévitable que les études globales aient un certain degré d'inexactitude. D'abord, le bonheur collectif ne peut pas être la somme mathématique de bonheurs individuels. Ensuite, beaucoup de paramètres peuvent influencer la réponse d'une personne face à la question d'un sondage de type: «Etes-vous satisfait d'une manière générale de votre vie?» Ce n'est pas évident de répondre spontanément: des facteurs aussi simples que le temps qu'il fait, une grande victoire sportive du pays ou n'importe quel événement positif ou négatif qui ne dépend pas de nous peuvent peser sur la réponse. On peut aussi estimer que les gens très

---

1. *Halte à la croissance ? Rapport sur les limites de la croissance,* 1972.

malheureux ne prendront même pas la peine, ou n'auront pas envie de répondre à un sondage pareil. Les institutions qui conduisent ces grandes enquêtes, les Nations unies, Gallup, ou encore Eurostat, ont aussi constaté que l'ordre des questions pouvait influencer les réponses : si par exemple les questions qui précèdent portent sur la politique et le niveau de corruption, les sondés auront tendance à être plus négatifs dans les réponses concernant la satisfaction de leur vie. On peut aussi reprocher aux classements mondiaux de ne pas prendre en compte les différences entre les cultures : d'un pays à l'autre, les valeurs ne correspondent pas aux mêmes réalités.

Tout en gardant ces nuances à l'esprit, il faut reconnaître que ce type d'étude donne quand même, par effet de moyenne sur un grand nombre de personnes interrogées, si ce n'est une photographie du bonheur collectif, du moins une indication assez valable de l'état de satisfaction ou de bien-être de la population d'un pays.

Pour enrichir mes réflexions à ce sujet j'ai contacté le professeur danois Christian Bjørnskov qui enseigne à l'université d'Århus et qui consacre depuis des années son énergie et son temps à cette question. Il est aussi membre fondateur de l'Institut de recherche sur le bonheur. Oui, cet institut existe vraiment : au Danemark nous disposons d'une cellule de gens bienveillants qui se consacrent exclusivement à étudier ce joli sujet. Nous avons passé toute une matinée ensemble au Café Casablanca à Århus pour discuter du phénomène. Selon lui, il existe des fondamentaux universels qui contribuent au bonheur d'une nation : un système démocratique, une certaine prospérité nationale, une justice qui fonctionne, et l'absence de guerre. Le professeur Bjørnskov estime que trente à quarante pays dans le monde remplissent ces critères. Et puis, une fois cette base en place, d'autres facteurs influencent le niveau de bonheur, notamment la confiance dans les autres et la liberté (et la possibilité) de choisir sa vie.

Quelles qu'en soient les variantes ou les nuances, le bonheur est un droit universel. C'est ce que pose noir sur blanc la Déclaration d'indépendance américaine du 4 juillet 1776 rédigée à Boston : «Nous tenons pour évidentes par elles-mêmes les vérités suivantes : tous les hommes sont créés égaux ; ils sont doués par le Créateur de certains droits inaliénables ; parmi ces droits se trouvent la vie, la liberté et la recherche du bonheur.»

Voilà pourquoi il m'a semblé important de partager quelques éléments simples, mais accessibles, sur ce qui constitue le bonheur danois. J'ai souhaité le faire très modestement, en gardant à l'esprit toute la complexité et l'ampleur d'un tel sujet, en m'inspirant de rencontres, de choses vues et vécues.

Il était une fois, donc, dix moyens simples pour être «heureux comme un Danois».

1

Je ne crains pas mon prochain
(la confiance)

*Le Danemark a le taux de confiance
le plus élevé au monde.*

Un jour d'été au Danemark. Le temps est radieux. Les gens dehors profitent de quelque chose de rare et de précieux chez nous : le soleil et la chaleur. Je pars à la campagne avec ma mère. Nous allons chercher des fruits et légumes pour le dîner. Le long de la route, il y a des stands avec des caisses de pommes de terre, de petits pois, de carottes, de framboises ou de fraises. Tout ici est cultivé dans les fermes environnantes. Si la pratique paraît courante, un détail pourra surprendre : au Danemark, personne ne tient ces stands, personne ne les surveille. Sur chacune des tables se trouve un petit pot où l'on doit laisser l'argent pour les produits achetés. Les producteurs ont même la courtoisie de laisser quelques pièces pour que les clients puissent se rendre eux-mêmes la monnaie. C'était déjà comme ça dans mon enfance, et aujourd'hui encore ce principe est respecté. Cela peut surprendre, mais personne ne songe à tricher. A la fin de la journée, l'agriculteur récupère sa recette. Mais comment ce système fait-il pour fonctionner?

Le thermomètre baisse... la confiance monte !

Le professeur danois Gert Tinggaard Svendsen a récemment publié un livre sur la confiance[1] : il y compare 86 pays[2] pour savoir à quel endroit la confiance règne ou pas. Verdict? 78% des Danois font confiance à leur entourage. C'est un record mondial : la moyenne des pays au banc d'essai ne dépasse pas... 25%. Pas de doutes : le Danemark est bel et bien le pays au monde où le niveau de confiance est le plus élevé. On notera d'ailleurs que tous les pays scandinaves figurent en tête de ce classement. Le Brésil est parmi les moins bien positionnés, avec un taux de confiance de 5%. Les pays d'Amérique latine et d'Afrique sont proches du Brésil, tout au bas de la liste. La France et le Portugal se situent en dessous de la moyenne. Plus de 7 Français sur 10 se méfient de leurs voisins.

---

1. Gert Tingaard Svendsen, *Tillid*, Tænkepauser, 2012.
2. Classement établi sur la base de recherches menées par l'auteur en 2005 et des résultats des «World Values Surveys».

L'étude montre même que le taux de confiance des Danois atteint 84 % pour ce qui est de leur relation aux institutions administratives (le gouvernement, la police, la justice et l'administration). Est-ce que le professeur Svendsen écrit cela juste parce qu'il est danois ? Non : d'autres chercheurs, par exemple les Français Yann Algan et Pierre Cahuc [1], ont également établi que les Danois remettent très peu en question l'ensemble de leurs institutions. Ils ne sont que 2,2 % à déclarer n'avoir aucune confiance vis-à-vis de la justice par exemple, contre près de 15 % des Anglais, 20 % des Français, ou 25 % des Turcs [2]. Et d'ailleurs, le Danemark a été classé par *Forbes* [3] premier des «World Best Governments», les meilleurs gouvernements au monde, en prenant en compte les pouvoirs de l'Etat, l'absence de corruption, l'ordre et la sécurité, les droits fondamentaux, l'ouverture du gouvernement, l'application de la régulation, la justice civile et la justice criminelle.

---

1. Yann Algan, Pierre Cahuc, *La Société de défiance, comment le modèle français s'autodétruit*, CEPREMAP, éditions Rue d'Ulm, 2007.

2. World Values Survey, 2000.

3. http://www.forbes.com/pictures/eglg45ehhje/no-1-denmark/

Ce constat est lourd de conséquences pour la société tout entière. Un exemple simple : allez-vous payer vos impôts de bon cœur si vous soupçonnez qu'autour de vous, tout le monde triche ? Sûrement pas. Vous vous sentirez sûrement plus une « bonne poire » qu'un bon citoyen. C'est plus facile de respecter les règles quand on pense que les autres le font aussi : un Etat-providence durable n'est possible que sur la base d'une confiance entre les individus.

L'importance de la confiance n'est pas seulement déterminante dans le fonctionnement du collectif : il l'est aussi dans le bien-être personnel. De nombreux chercheurs, sociologues, économistes et philosophes ont tenté de percer le mystère du bonheur à travers le monde. Tous ou presque tombent d'accord sur un point : la confiance entre les individus est un facteur clé de l'équation. La bible en la matière, le fameux « World Happiness Report[1] » de l'ONU, est formel : plus les gens se font confiance, plus ils se sentent heureux. Les Français Cahuc et Algan[2] confirment aussi que le cas contraire – une société de défiance – s'accompagne d'une moins grande aptitude au bonheur. Le

---

1. UNSDSN, World Happiness Report 2013.
2. In *Peut-on construire une société de confiance en France ?*, p. 6 – Pierre Cahuc et Yann Algan.

professeur danois Christian Bjørnskov en arrive aux mêmes conclusions[1] : «Le haut niveau de confiance dans le pays est l'un des déterminants les plus essentiels du niveau élevé de bonheur.»

Inconscience ou confiance ? Manteaux, bébés et portefeuilles

A l'opéra de Copenhague, les étrangers s'étonnent de voir les Danois laisser leurs manteaux dans un vestiaire non surveillé. Plusieurs centaines de personnes se font naturellement confiance. Ils savent qu'en sortant, ils retrouveront leurs effets personnels. En réalité, ils ne se posent même pas la question.

Je ne me l'étais jamais posée lorsque je vivais au Danemark. Un jour, mon frère rentre du supermarché et me raconte qu'il a trouvé 500 couronnes (70 euros) dans une caisse remplie de pommes. «Quelqu'un a dû les perdre», me dit-il. Il avise un des responsables du supermarché et lui donne l'argent. La femme qui l'avait perdu est finalement passée à la fin de la

---

1. Etude «Det er et lykkeligt land», littéralement «C'est un pays heureux», septembre 2013.

journée pour le récupérer. Le responsable du magasin lui a donc rendu ses 500 couronnes. En guise de remerciement, elle a laissé 100 couronnes (15 euros) à mon frère.

Cette histoire pourrait sembler complètement aberrante pour un non Danois. «Quelle naïveté, le responsable a gardé l'argent pour lui, c'est évident!» Je peux comprendre cette réaction. Cela fait dix-neuf ans que je vis hors du Danemark. J'ai pu me rendre compte à quel point la méfiance est bien plus courante que la confiance. Pas sans raison, malheureusement. Imaginez : vous perdez votre portefeuille dans la rue. Quel espoir avez-vous de remettre la main dessus ? Réponse dans un test très instructif du *Reader's Digest*[1] : les organisateurs ont laissé dans les rues de villes du monde entier plus de 1100 portefeuilles contenant chacun l'équivalent de 50 dollars en monnaie locale et le nom du propriétaire. Histoire de voir combien de personnes allaient le garder, et combien allaient le rendre. Dans la ville danoise de Aalborg (130 000 habitants), 100 % des portefeuilles ont été restitués avec l'argent. La moyenne dans l'ensemble des villes est légèrement supérieure à 50 %. Mais la chance de retrouver ses affaires

1. *The Reader's Digest «Lost Wallet» Test*, 2001.

dans de nombreux pays, comme le Mexique, la Chine, l'Italie ou la Russie, reste vraiment faible.

La confiance, c'est précisément ce petit rien qui change tout dans la vie de tous les jours : la tranquillité d'esprit. Un jour, ma mère s'est fait voler 300 euros en espèces à Paris. Sa compagnie d'assurances lui a demandé si elle pouvait prouver le retrait de ce montant dans la journée. Malheureusement elle n'avait pas conservé le ticket de retrait, seule preuve immédiatement communicable. Pourtant, même en l'absence de tout justificatif, sa compagnie lui a fait confiance et elle a été intégralement remboursée. Quelques années plus tard, quand la même mésaventure m'est à mon tour arrivée à Paris, ma correspondante, employée par ma compagnie d'assurances en France, ne pouvait répéter qu'une seule phrase : «Vous plaisantez n'est-ce pas ?»

Autre exemple : à Copenhague j'ai travaillé dans un café pendant trois ans pour financer mes études. L'endroit était réputé pour les nombreuses poussettes que les jeunes mères en congé maternité laissaient dehors afin de discuter entre copines. Cela étonne très souvent mais au Danemark, on laisse les bébés devant les restaurants et cafés pendant que l'on discute à l'intérieur. D'un côté personne ne les surveille, et d'un autre côté tout le monde les surveille car, encore une fois, on se fait confiance.

Cela a d'ailleurs créé un scandale à New York il y a quelques années : une jeune Danoise avait laissé sa poussette dehors avec son bébé dedans, le temps d'un déjeuner en tête à tête avec son mari. Le restaurant a appelé la police, la maman a été arrêtée, accusée de négligence et d'abandon. Les autorités américaines ont gardé le bébé trois ou quatre jours avant de le rendre à sa mère. Elle a fait un procès à l'Etat de New York et a gagné environ 10 000 dollars de dommages-intérêts.

Du bon usage du couteau

En août 2012, le journal financier danois *Børsen*[1] organise une grande conférence sur la confiance. L'américain Stephen Covey, grand gourou du sujet et auteur du best-seller *Le Pouvoir de la confiance*[2], est naturellement invité. Il salue d'abord le Danemark comme LE modèle

---

1. Børsen et Copenhagen Business School, Conférence «Tillid», août 2012.
2. Stephen Covey, *Le Pouvoir de la confiance, le facteur qui change tout*, First Editions, 2008.

de référence en matière de confiance. Il choisit ensuite d'insister sur les coûts extrêmement élevés liés à la méfiance. Dans une organisation où les individus doutent les uns des autres, les dispositifs de contrôle, de conformité et de sécurité qu'il faut mettre en place sont très onéreux. Stephen Covey prend l'exemple du célèbre investisseur américain Warren Buffett, et de l'une de ses grosses acquisitions auprès de la société Walmart : Warren Buffett souhaitait racheter McLane Distribution, une entreprise valorisée à 23 millions de dollars. Normalement, une fusion de ce type, vu l'importance des enjeux, prend des mois et coûte une fortune en honoraires d'avocats, de conseillers et d'auditeurs qui vérifient chaque détail des comptes des deux sociétés. Dans ce cas précis, les deux parties s'appréciaient et se sont fait confiance : l'affaire a été conclue en deux heures et une poignée de main, économisant des mois de travail et des millions de dollars. Pour Stephen Covey, « en affaires, la méfiance double les coûts ».

La ministre de l'Economie danoise, Margrethe Vestager, est également présente à la conférence. Pendant près d'une heure (et sans aucune note), elle défend à son tour la confiance comme source d'économies, expliquant par exemple qu'il est beaucoup moins coûteux de faire confiance aux chômeurs que de les contrôler. Rappelons à ce sujet que les Danois sont très fiers de leur système de protection sociale. Une étude réalisée en 2009 pour le quotidien *Jyllands-Posten*[1] confirme qu'il est ce dont ils sont le plus satisfaits. Bien plus fiers même que de la démocratie, de la tolérance et de la paix qui règnent dans leur pays. Mais ils savent qu'il est vital que tous les citoyens y participent et y contribuent, sans fraude et sans triche : la volonté d'une personne au chômage de trouver un travail est clairement perçue comme un intérêt personnel, mais aussi comme un intérêt commun. Margrethe Vestager reconnaît toutefois qu'un minimum de contrôle est nécessaire, même au Danemark. En septembre 2012, une polémique éclate. Un jeune homme surnommé «Robert le paresseux» par la presse scandalise le pays. «Robert le paresseux» déclare publiquement qu'il préfère finalement profiter du système de l'assurance chômage. Il ne souhaite pas accepter un travail qu'il considère comme inintéressant dans une chaîne de fast food.

---

1. Rambøll Management/Analyse Danemark pour *Jyllands-Posten*, 2009.

Comment quelqu'un peut-il ainsi profiter délibérément du système sans en avoir honte? «Robert le paresseux» n'est évidemment pas le seul, il y en a d'autres. Mais pour les Danois, c'est une véritable offense. En France, l'idée perturbe peut-être moins. Un jour, une jeune femme me raconte ses aventures passionnantes aux Etats-Unis. Je lui dis: «Ah c'est super, mais comment fais-tu pour gagner ta vie sans la carte verte?» Elle me répond, sans aucune gêne: «Mais je touche le chômage!»... Autre exemple: un voisin de table qui me parle avec fierté de son année sabbatique payée par les allocations chômage...

Quoi qu'il en soit, je quitte la conférence du *Børsen* avec un grand sourire. Heureuse pour mon pays. Et je me dis qu'il ne faut pas que j'oublie de payer les 750 euros de frais de participation. Eh oui, les organisateurs n'ont pas demandé de règlement à l'avance: ils ont fait confiance aux participants. Parce que, comme le dit l'ancien Premier ministre danois Poul Nyrup Rasmussen[1]: «On verra rarement un Danois avec un couteau dans la main sans avoir une fourchette dans l'autre.» Autrement

1. Discours de Poul Nyrup Rasmussen pour la célébration de la Constitution danoise le 5 juin 1999 à Copenhague.

dit, le fameux couteau dans le dos dont les gens parlent quand ils ont été trahis est plutôt utilisé au Danemark pour de bons repas entre amis.

Cartouches d'encre et pots-de-vin

J'appelle mon père pour lui raconter l'énorme gentillesse d'un imprimeur que j'ai rencontré à l'occasion de mon premier emploi à Paris : «L'imprimeur nous a fait une super offre pour imprimer nos brochures, au même prix voire un peu moins cher que les autres... et en plus il m'a proposé un bel appartement exactement là où je rêve de vivre mais à un loyer pas cher du tout car il en est le propriétaire... c'est adorable non ?» Mon père me répond : «Oui, certainement, mais que feras-tu le jour où il augmentera le prix des impressions... si tu vis dans un appartement qui lui appartient et que tu paies un loyer inférieur au marché, cela sera difficile, tu ne crois pas ?»

La réponse était évidemment OUI et je n'ai bien sûr pas accepté cette proposition, j'ai même choisi un autre imprimeur. Ma première réaction était basée sur l'idée que comme le premier proposait le même rapport qualité prix que les autres, ce n'était pas un problème de lui confier le contrat, surtout s'il était en plus gentil en voulant m'aider. Tout le monde semblait y gagner. Mais c'est évidemment là que les problèmes commençaient, car en acceptant cela je perdais ma liberté et mon impartialité dans notre relation professionnelle : il y aurait eu une motivation personnelle pour maintenir le contrat de ce prestataire avec la société qui m'employait et qui ne m'appartenait pas.

Autour de moi les réactions varient lorsque je raconte l'anecdote. Certains (plutôt du sud de l'Europe) me disent : «Ah mais tu es bête, imagine comme tu aurais été bien dans cet appartement !» Au contraire, d'autres amis, danois souvent, s'indignent : «Quelle horreur, il a voulu t'acheter, heureusement tu n'as pas accepté cette offre malhonnête.» Dans les dictionnaires, la corruption est définie comme «l'abus de pouvoir à finalité d'enrichissement personnel» : cet exemple, à son modeste niveau, répond parfaitement à la définition.

Il est vrai que la corruption au Danemark est la plus basse au monde, avec la Finlande et la Nouvelle-Zélande. Transparency International, une association contre la corruption, a dévoilé son dernier rapport annuel sur la corruption à travers le monde en décembre 2012[1]. 176 pays y figurent, et le Danemark est en tête des pays les moins corrompus de la planète. Les grands pays européens comme l'Allemagne arrivent en 13ᵉ position, l'Angleterre en 17ᵉ, la France en 22ᵉ et l'Espagne en 30ᵉ position. L'Italie se démarque à la 42ᵉ place. Le Japon, qui est pourtant connu pour son respect important du système et de l'ordre et son grand civisme, arrive 18ᵉ. Les Etats-Unis se classent 19ᵉ, tandis que des pays émergents comme le Brésil (69ᵉ), la Chine (80ᵉ), l'Inde (94ᵉ) et la Russie (133ᵉ) doivent encore se battre contre une corruption très présente. Tout en bas de la liste apparaissent l'Afghanistan, la Corée du Nord et la Somalie.

D'une manière générale, la corruption dans les institutions danoises et dans le monde des affaires est très rare. Les Danois ne la tolèrent pas. Plus de 90 % d'entre eux déclarent qu'il est «injustifiable d'accepter un pot-de-vin dans l'exercice de ses fonctions». Cette proportion dépasse à peine les 50 % en France, ou 75 % au Portugal et 80 % aux Etats-Unis[2].

---

1. Transparency International, Rapport mondial sur la corruption 2011, décembre 2012.
2. «World Values Survey 1980-2000», *op. cit.*

La menace d'une sanction joue également un rôle fondamental. En 2002, un des cas de corruption les plus connus au Danemark, «Brixtofte-sagen», éclate. Un homme politique assez populaire, Peter Brixtofte, maire de la commune de Farum, est accusé d'avoir profité du système et du bien public. Le scandale commence par une révélation de la presse à propos d'une note de restaurant de 20 000 euros (avec des bouteilles de vin excessivement chères) masquée sous l'intitulé «diverses réunions de la commune», suivie d'autres exemples de fraude, notamment au profit des amis du maire. Cela choque profondément les Danois. Brixtofte a rapidement été exclu de la vie politique à l'issue de cette affaire. Après avoir fait appel plusieurs fois, il a finalement été condamné à deux ans de prison ferme.

En 2004, le Danemark a lancé un Plan d'action et un Code de conduite pour la lutte contre la corruption établissant une tolérance zéro en la matière. Il est appliqué aussi bien au sein dc l'administration chargée de la gestion de l'aide publique qu'au niveau des acteurs, partenaires et bénéficiaires des aides. Il a même été mis en place une «Anti-Corruption Hotline».

Evidemment, l'anonymat des personnes qui appellent est respecté si elles le souhaitent.

Ainsi les populations qui entretiennent une relation de confiance avec leur environnement politique, institutionnel et financier possèdent une base meilleure pour une vie heureuse. Voilà donc à mon avis l'un des principaux axes à l'explication du bonheur danois.

2

J'ai une place dans la société
(l'éducation)

*Le niveau est adapté pour le plus grand nombre, donc
pas d'élite. L'éducation est gratuite et même rémunérée
par l'Etat[1], donc accessible à tous.*

C'est mon premier jour à l'université South
Bank à Londres. Il s'agit d'un semestre à l'étranger dans le cadre de mes études à la Niels Brock
Business School de Copenhague. Nous sommes
plus de 300 étudiants dans le grand auditorium,
tous très attentifs au discours de notre orateur. A
la fin de son introduction, il regarde la salle et il
dit: «Petite précision pour les étudiants danois:
votre avis personnel ne nous intéresse pas. Ici il
faut documenter ce que l'on pense en se référant
à des personnalités d'autorité!»
Pourquoi cet avertissement du professeur?
De la discrimination antidanoise? Evidemment
non, simplement l'un des objectifs reconnus du
système scolaire danois est de former des individus autonomes, de stimuler davantage leur

---

1. Le «Statens Uddannelsesstøtte» s'élève à 5 700 couronnes brut par mois (environ 760 euros) pour un étudiant
qui ne vit pas chez ses parents.

curiosité et leur jugement que la connaissance de matières apprises par cœur. Au Danemark, les enfants sont poussés à faire des expériences par eux-mêmes et se forger leur propre opinion. Le système s'applique à éduquer au mieux les citoyens de demain, pour qu'ils comprennent leurs responsabilités, leurs droits et leurs devoirs vis-à-vis d'une société basée sur l'égalité, la solidarité et la liberté. L'école danoise consacre aussi beaucoup d'énergie à développer l'estime de soi et encourage l'élève à former sa personnalité pour bâtir son avenir dans les meilleures conditions.

Je pense par moi-même... donc je suis

Fous, les Danois ? Pas tant que ça. Les vertus de l'autonomie et de la participation dans l'apprentissage sont un classique des sciences cognitives et des sciences de l'éducation. A l'OCDE par exemple, les chercheurs très sérieux du CERI (Center for Educational Research and Innovation) sont unanimes[1] : le cerveau humain apprend mieux quand il expérimente, participe, propose de lui-même,

---

1. http://www.oecd.org/fr/sites/educeri/

plutôt que quand il reçoit passivement des connaissances « top-down », de haut en bas. Et ce n'est pas une nouveauté : Socrate avait déjà compris que l'esprit est meilleur quand il est « accouché » et qu'il doit trouver lui-même les solutions. C'est ce que l'OCDE, mais aussi l'Unesco [1], appellent les fameuses compétences du XXIe siècle : plasticité, capacité d'interaction, esprit critique, créativité, force d'initiative. Aujourd'hui, ce sont les atouts les plus demandés par les employeurs et les plus utiles à la société connectée.

Cette importance accordée au développement de la personnalité se retrouve dans deux concepts d'éducation tout à fait propres au Danemark, sans réels équivalents à l'étranger : l'« Efterskole » et l'« Højskole ».

De quoi s'agit-il ? Avant d'entrer au lycée, les jeunes Danois entre 14 et 18 ans ont la possibilité d'effectuer une année en « Efterskole », une sorte de « post-école ». C'est une année de maturation mise à profit pour développer des talents dans d'autres domaines que les matières scolaires classiques. L'« Efterskole » aide les élèves à trouver une place dans la société même s'ils n'excellent

---

1. « Revisiting long life leaning for 21st century », Unesco, 2001, http://www.unesco.org/education/uie/publications/uiestud28.shtml

pas dans le cadre purement scolaire. Elle valorise la créativité, le sport, le travail manuel, les activités de groupe, dans une ambiance de solidarité et de liberté. Après un passage en «Efterskole», de nombreux élèves trouvent leur voie et ont acquis la confiance nécessaire à leur réalisation personnelle, même s'ils ne continuent pas le lycée. Il existe plus de 150 «Efterskole» de ce type au Danemark. Efterskoleforeningen (l'association de post-écoles) confirme que cette option reste très populaire chez les jeunes Danois, avec plus de 15% d'élèves inscrits chaque année dans une post-école.

Une étude de Damvad datée de septembre 2012 pour Efterskoleforeningen sur la période de 2000-2010 conclut qu'un élève passé par une post-école a plus de chances non seulement de commencer, mais aussi de terminer une «formation de jeunesse» (*ungdomsuddannelse*) et donc de trouver sa place dans la société. Les auteurs ont observé que grâce à cette solidarité qui demeure le maître mot à l'école, les jeunes qui ont un héritage social difficile s'inspirent et se font aider par ceux qui viennent de milieux plus favorisés. Les témoignages positifs sont nombreux, comme celui de la jeune Emma Rytter, avec laquelle j'ai discuté pendant de longues heures[1]. Emma a été inscrite une année en post-école avant de passer son bac. Elle explique que grâce à cette expérience elle a appris comment accepter et respecter les différences des autres via le dialogue et la tolérance. «J'étais une vraie rebelle à l'école, je faisais plein de bêtises. J'avais envie que l'on me donne une deuxième chance.» Emma a appris à se connaître et aussi à connaître les autres pour mieux fonctionner dans un système où le bien-être du groupe passe avant les objectifs personnels. «J'ai compris la grande chance que j'avais de vivre dans une communauté où il y a de la place pour tout le monde, un monde où personne n'est exclu et où les problèmes se règlent par le dialogue.»

Cependant le règlement de l'école est strict; tout acte illégal, comme la prise de drogue, les vols et la violence peut causer une expulsion. Emma se souvient d'une jeune fille qui avait créé le trouble dans l'école par ses mensonges répétés et ses vols d'argent. «Nous avons passé beaucoup de temps à parler avec elle dans le groupe mais au bout de six mois, la direction de l'école a estimé qu'elle mettait en danger le bien-être collectif. Ils l'ont expulsée et elle a

---

1. Interview réalisée par l'auteur le 1er novembre 2013 avec Emma Rytter Hansen, 19 ans.

été prise en charge par les services sociaux qui s'occupent des cas particulièrement difficiles. La solidarité, la tolérance et la confiance sont les maîtres mots mais cela nécessite en effet que tout le monde respecte ce système.» La jeune Emma clôt notre conversation par ces mots: «Cette année m'a changée, elle m'a donné une base solide pour construire mon avenir en harmonie avec la personne que je suis.» Eh bien moi je dis bravo, tant mieux pour elle, et bien sûr, pour la société danoise aussi!

L'autre exception danoise s'appelle «Højskole». Imaginez une école dont le but principal est de transmettre aux élèves l'envie d'apprendre. Un endroit où chaque personne peut s'exprimer librement et donner libre cours à ses propres questionnements. Cette école existe au Danemark. Elle a été fondée au XIXe siècle par l'évêque luthérien Grundtvig, qui était aussi linguiste, historien et pédagogue, et que l'on considère aujourd'hui comme le «père» de la formation continue, tout au long de la vie. Grundtvig a instauré un enseignement lié à la notion de plaisir, dans le respect de valeurs fondamentales comme l'égalité, le respect de l'autre, le partage et la participation à un projet commun. Il a conçu une école accessible à tous, une sorte d'école de la vie, où l'on peut exprimer sa créativité et apprendre à vivre en communauté. Une éducation libre, sans compétition, et sans diplôme.

La première «Højskole» de Grundtvig a vu le jour en 1844, à Roeddinge. Aujourd'hui, on en compte plus de 69 implantées dans tout le Danemark. L'âge moyen des élèves est estimé à 24 ans, mais on y trouve des personnes de tous âges qui ont en commun l'envie de vivre une expérience personnelle enrichissante. Dans le respect de sa philosophie de départ, l'accès à la «Højskole» est plutôt facile. Il suffit d'être âgé de 17 ans minimum et de parler une langue qui permet de communiquer avec les autres, c'est-à-dire le danois ou l'anglais. La durée des cours varie entre une semaine et dix mois. Le système est partiellement financé par l'Etat via les bourses d'études ou par des fonds versés directement aux écoles. Selon le ministère de la Culture, en 2012, presque 10 000 Danois ont suivi des cours sur une durée longue et 45 000 sur une courte durée. On estime qu'un Danois sur dix s'inscrira dans une «Højskole» au cours de sa vie[1].

---

1. Ministère danois de la Culture, 2012.

L'école en rose ?

En 2012, la chaîne de télévision danoise DR1 lance une série de documentaires sur une classe danoise et une classe chinoise en dernière année avant le lycée[1]. L'idée est de comparer les compétences des élèves danois avec celles d'élèves chinois qui comptent parmi les meilleurs au monde[2].

Les Chinois emportent largement le concours, loin devant les élèves danois dans presque toutes les matières, y compris en discipline. Le programme provoque un grand débat dans les médias. Le modèle de l'école danoise est-il toujours valable au vu de la compétition internationale ? Faut-il réviser le système en profondeur et les fondements mêmes de l'enseignement danois ?

Peut-être. Mais cette comparaison ne se préoccupe que des résultats effectifs et ne prend pas en compte le bien-être des elèves. Elle ne prend pas non plus en compte la capacité des élèves à développer leur personnalité de manière à pouvoir ensuite choisir un métier qui leur

---

1. http://www.dr.dk/tv/program/9-z-mod-kina/
2. Etude PISA OCDE 2010 : Hong Kong et Shanghai ont des résultats supérieurs à la moyenne des pays de l'OCDE.

correspond. Et quand on sait que plus d'un tiers des élèves de l'OCDE ne prennent aucun plaisir à étudier[1], ou que presque trois quarts des jeunes disent s'ennuyer au collège[2], cela fait réfléchir.

Clairement, le système danois ne cultive pas d'élite. L'important dans le système danois n'est pas d'être le meilleur. Les élites dans les différents pays du monde ne comprennent, de toute façon, que très peu de personnes. Il n'existe pas de chiffres officiels mais disons probablement pas plus de 1 à 5 % de la population. Question de logique ou de vision de la vie, les Danois ont tendance à s'occuper davantage des 95-99 % restants. Encore une fois, ce qui guide l'enseignement danois, c'est de donner une base de savoir enseignée de telle manière que la majorité puisse suivre. Le niveau est en quelque sorte ajusté sur la base, et non pas sur les meilleurs, pour être sûr que personne ne soit exclu. Car l'objectif essentiel dans le système scolaire danois n'est pas de briller avec des connaissances accumulées, mais

---

1. OCDE, PISA 2012, http://www.oecd.org/pisa/keyfindings/pisa-2012-results.htm

2. En France, 71 % des collégiens disent s'ennuyer à l'école, d'après une enquête Afev (Association de la fondation étudiante pour la ville) de 2010, réalisée auprès de 760 enfants.

que chaque élève se sente valorisé par rapport à ses propres compétences et sa personnalité. Que chacun et chacune réalise qu'il a une place et une utilité dans la société.

En 1999, vers la fin de mes études de commerce à Niels Brock, à Copenhague, je retrouve quatre autres personnes de ma classe chez une camarade de l'école : nous sommes en examen de groupe, un autre phénomène très particulier au Danemark. Le concept a été mis en place en 1993 par le gouvernement socialiste de l'époque[1] dans le but de cultiver la cohésion et l'esprit d'équipe : un travail effectué en groupe, le projet écrit, est suivi d'un examen oral. Chaque membre du groupe prend la parole et une note individuelle est attribuée, mais qui est fortement conditionnée par la performance collective. En 2006, le gouvernement de droite annule cette mesure[2], qui traduirait mal le mérite individuel des élèves. Cela génère un grand mécontentement de la part des étudiants : fidèles à l'esprit danois, ils se retrouvaient parfaitement dans cette forme de solidarité autour d'un projet commun. Finalement, l'examen en groupe a été remis

1. *Berlingske,* 8 janvier 2007.
2. *Politiken,* 7 mai 2009.

en place en 2012[1], laissant les écoles libres de l'appliquer ou non. Une solution finalement très danoise elle aussi !

Au Danemark, l'enseignement supérieur est gratuit, et l'Etat aide ses jeunes citoyens grâce à un système de bourses (760 euros par mois) versées à tous les étudiants sans conditions de ressources (en France par exemple, environ 30 % des étudiants touchent une bourse qui varie de 0 à 470 euros par mois, sur dix mois[2]). La Finlande, la Suède, la Norvège, l'Irlande ou la République tchèque proposent aussi un enseignement gratuit. Dans d'autres pays en revanche, il faut payer pour étudier à la fac : les frais d'inscription dans le supérieur vont en moyenne de 400 à 1 200 euros par an en France (voire plusieurs dizaines de milliers d'euros pour les grandes écoles, alors qu'à Copenhague, la Copenhagen Business School, meilleur établissement de Scandinavie, est totalement gratuite !), mais aussi en Espagne, en Italie, en Autriche, en Suisse, en Belgique ou au Portugal, et ils grimpent à 3 000 euros environ en Nouvelle-Zélande, autour de 4 000 euros

---

1. *Politiken*, 20 décembre 2012.
2. http://www.letudiant.fr/loisirsvie-pratique/logement/bourses-allocations-des-sous-pour-etudier-18651/les-bourses-detudes-13339.html

en Australie, au Canada ou au Japon, environ 5 000 euros au Royaume-Uni et en Corée, et 6 000 euros aux Etats-Unis[1].

Souvent, dans les pays développés, les jeunes se demandent comment choisir des études débouchant sur un métier qui permet de gagner beaucoup d'argent. Par exemple, 19,1 % des jeunes au Royaume-Uni ou 31,15 % aux Etats-Unis pensent qu'il est important d'avoir un meilleur confort matériel que leurs parents, contre 11,8 % des jeunes Danois seulement. La part des jeunes qui ont pour objectif de gagner beaucoup d'argent dans les quinze prochaines années est de 33 % en Italie, 30 % en France, 29 % aux Etats-Unis, contre 18 % au Danemark. Les jeunes Danois déclarent avoir envie de transmettre à leurs enfants davantage les valeurs de tolérance et de respect, de responsabilité, d'honnêteté et d'indépendance qu'un patrimoine[2]...

Lorsqu'on est guidé par l'idée de la réussite matérielle, le risque de se tromper de voie est important, puisqu'on renie ses envies profondes en faveur du profit. Grand nombre de personnes se retrouvent lancées dans des carrières

---

1. OCDE, «Education at a glance», 2011.
2. Enquête «Les jeunesses face à leur avenir» – Fondation pour l'innovation politique – 2008.

qui n'ont pour elles aucun sens profond. L'école danoise, en revanche, travaille plutôt à orienter au mieux les élèves pour qu'ils soient en mesure de choisir des études supérieures ou une formation qui les mènent à une vie qui a du sens pour eux. L'orientation au Danemark est très individualisée. Il existe en effet un véritable service public de l'orientation géré par les communes, qui vise à aider les jeunes à prendre des décisions réalistes quant à leurs opportunités d'avenir. En plus d'organiser des séances et des échanges de groupes, ce système prévoit d'examiner les projets de chaque élève individuellement[1]. D'ailleurs, les jeunes Danois sont 60 % à penser qu'ils peuvent choisir quelle sera leur vie (contre 26 % en France ou 23 % en Allemagne). Presque la moitié d'entre eux considèrent avoir une liberté et un contrôle totaux sur leur avenir[2].

L'école n'hésite pas non plus à enseigner aux enfants des matières moins courantes dans d'autres pays, comme l'éducation sexuelle. Les enseignants expliquent ce que sont les rapports sexuels, comment se protéger, comment exprimer ses limites ou ses désirs. Au Danemark, la

---

1. http://europa.eu/epic/countries/denmark/index_en.htm
2. Fondation pour l'innovation politique, *op. cit.*

sexualité n'est pas taboue, elle est au contraire associée aux plaisirs de la vie. Dans les années 1970-1980, les Scandinaves avaient même une certaine réputation à l'étranger liée à leur liberté sexuelle. Cette conception peut en effet choquer les pays plus imprégnés de religion. Chez nous on considère que pour avoir un bon équilibre dans la vie, une sexualité épanouie est importante. Cela ne doit pas être un tabou, mais un sujet ouvert duquel on peut discuter et sur lequel il est admis de poser des questions librement.

Quoi qu'il en soit, en mettant ainsi l'accent sur le développement de la personne, sur ses compétences et capacités propres au lieu de promouvoir la «course à l'élite», le système danois favorise la recherche du bonheur personnel. Et encore une fois, le plaisir n'est pas incompatible avec un bon apprentissage, au contraire. Selon la dernière étude internationale PISA comparant le niveau des élèves de 15 ans dans l'OCDE, les élèves qui prennent du plaisir à étudier ont des performances de 20% supérieures à ceux qui n'en ont pas[1]!

Tout est-il rose pour autant? Non, bien sûr. Le grand risque de ce système, c'est

---

1. OCDE, PISA, *op. cit.*

inévitablement de perdre en route les talents des meilleurs élèves. Ou en tous les cas, même si le niveau général reste tout de même satisfaisant[1], de ne pas développer suffisamment le potentiel de ceux qui sont très doués. Je suis retournée dans mon ancienne école à Århus pour en savoir en peu plus. J'ai discuté de la question avec Jesper Kousholt, le directeur adjoint de la «Skaade Skole[2]», un jeune homme absolument passionné par son métier et par l'épanouissement des enfants. Il estime qu'environ 5% des élèves sont sous-stimulés dans ce système. Il avoue que les plus intelligents sont souvent laissés de côté, parce que l'on pense qu'ils n'ont pas besoin de soutien. Jesper Kousholt considère très positivement le système scolaire danois : pour lui, s'occuper de 95% des élèves au lieu de focaliser sur les quelques-uns qui ont un talent particulier, c'est important. Mais selon lui le système scolaire danois pourrait toutefois réfléchir à un moyen de mieux développer le potentiel des 5% restants.

---

1. Etude PISA OCDE 2010 : le Danemark se place dans la moyenne haute des pays de l'OCDE pour la compréhension de l'écrit et est très performant sur l'échelle mathématique.

2. Interview réalisée par l'auteur au mois d'août 2013 à la Skaade Skole à Århus.

Je vois dans cette volonté de valoriser aussi les meilleurs une marge de progression possible pour le Danemark, et une vraie opportunité. L'équilibre évidemment n'est pas facile à trouver.

Plonger dans le grand bain

Tal Ben-Shahar, qui a enseigné la psychologie positive à Harvard, est l'un des grands gourous du bonheur. Cela peut surprendre, mais son cours a été le plus populaire de l'histoire de la célèbre faculté américaine.

Concernant l'éducation, il observe dans ses travaux une démotivation généralisée des étudiants face au travail scolaire[1]. Il évoque deux approches possibles de l'apprentissage : la «noyade» et l'«acte d'amour». La «noyade», c'est l'idée du soulagement ressenti lorsqu'on est libéré d'une souffrance : les élèves peuvent, même à tort, confondre ce soulagement avec une certaine forme de bonheur. Si on vous met la tête sous l'eau, vous allez vous battre pour vous en sortir. Une fois dehors, vous allez vous sentir soulagé, voire heureux, pendant un (court) moment. Tal

---

1. Tal Ben-Shahar, *Happier*, Mc Graw-Hill, 2008.

Ben-Shahar explique que ce modèle souffrance-soulagement est la grande référence pour l'éducation, et ce dès l'école primaire. Partant de cette représentation, il est normal qu'une majorité des jeunes pensent que le travail sera associé à une certaine souffrance, avec quelques moments d'éclaircie passagers, comme le week-end... En France, des enquêtes récentes[1] établissent que presque trois quarts des élèves aiment seulement un peu, voire pas trop ou pas du tout aller à l'école ou au collège, que 65 % d'entre eux éprouvent l'angoisse de l'échec de manière récurrente, et presque 70 % ne comprennent pas toujours ce qu'on leur demande de faire en classe.

L'autre approche, l'«acte d'amour», consiste à faire aimer l'apprentissage. La lecture, les recherches, la réflexion, le fait de poser des questions et de trouver les réponses, sont autant d'activités qui peuvent procurer une satisfaction et même une joie, si cela est enseigné de la bonne manière. L'idée est d'apprendre à avoir du plaisir sur le chemin et de ne pas uniquement vivre les études comme une souffrance, avec pour seul but d'y mettre un terme.

Les parents aussi peuvent exercer une pression sur leurs enfants pour qu'ils soient les

---

1. AFEV, *op. cit.*

meilleurs et aient de bonnes notes. Pour eux, la réussite est bien plus importante que le plaisir d'apprendre, ou éventuellement d'entreprendre autre chose si vraiment les études ne correspondent pas au profil de l'enfant, à ses capacités ou à ses envies.

Tal Ben-Shahar ajoute que pour contribuer au bonheur de nos enfants, il faudrait savoir les orienter sur un chemin qui leur apporte à la fois du sens et du plaisir. Quelles que soient l'envie ou la passion d'un jeune étudiant, l'aider à bien prendre conscience des aspects positifs et négatifs de son choix est essentiel. Après cette phase nécessaire de réflexion, les parents et les professeurs devraient l'encourager dans la voie qu'il a décidé d'emprunter. Le système scolaire danois n'est finalement pas très éloigné de cette vision et n'est donc sûrement pas étranger au fameux bonheur danois.

Cette affirmation est plutôt confirmée par les élèves de la Skaade Skole que j'ai rencontrés lors de ma visite à l'école au mois d'août, au moment de la rentrée scolaire. Ils entament leur dernière année (la « 9e klasse ») avant d'entrer au lycée ou d'opter pour une éducation de jeunesse. La plupart disent avoir le sentiment de choisir librement leur avenir sans pression de leurs parents, ni de la société d'une manière générale. Une jeune femme commente : « Ce qui est bien au Danemark, c'est que l'on n'a pas peur d'aller vers ce que l'on aime faire, car si jamais on se trompe, l'Etat est là pour nous aider à retomber sur nos pieds. » Plusieurs élèves sont plutôt attirés par la possibilité de faire une année en « Efterskole » afin de mieux se connaître et d'explorer des pistes plus créatives en vue de choisir une carrière. Quant à la question de l'argent et son importance par rapport à leur choix de carrière, les élèves sont unanimes. Ils préfèrent faire un métier qui leur plaît que gagner beaucoup d'argent.

J'ai moi-même été libre dans le choix de mes études et mes parents m'ont toujours soutenue dans ce sens. Quand j'avais 9 ans, je disais à mes parents que je voulais être ambassadrice du Danemark. Ils ont pris le temps de m'expliquer ce métier et surtout de préciser qu'avant d'aller à Londres ou Paris, il me faudrait passer par une multitude de pays lointains. Et pas forcement ceux dont je rêvais. A 11 ans, ayant bien réfléchi, j'annonçai cette fois-ci que je voulais travailler dans l'hôtellerie. Mon père m'a pris rendez-vous avec la directrice du meilleur hôtel de ma ville. Il m'a demandé de préparer mes questions en amont pour le rendez-vous. Nous sommes allés tous les deux voir la directrice et j'ai pu lui poser toutes mes questions. Elle m'a expliqué que l'hôtellerie était un style de vie, pas un travail classique. Elle m'a dit : « C'est un métier où l'on travaille le soir et le week-end, donc il faut être passionné par cet univers pour être heureux dedans. »

Finalement, j'ai étudié la possibilité de faire une école hôtelière à l'étranger, mais c'était tellement cher que j'ai laissé tomber cette idée pour trouver un autre chemin qui pouvait aussi me correspondre. Il n'est pas évident de trouver sa vocation, il faut vraiment passer du temps et avoir beaucoup de volonté pour y arriver. Si, de surcroît, les systèmes scolaires sont juste conçus pour nous pousser à devenir les meilleurs coûte que coûte, cela rend la tâche encore plus dure.

Riche du soutien et de la confiance de mes parents j'ai pu aller exactement dans la direction que je souhaitais dans la vie. Avant tout, ils voulaient que je sois heureuse. Ma mère m'a toujours poussée à aller chercher mon propre bonheur. Elle m'a soutenue dans toutes mes décisions, malgré les appréhensions qu'elle a dû avoir par moments.

3

Je suis libre de trouver mon chemin
(la liberté/l'autonomie personnelle)

*Presque 70 % des Danois quittent la maison parentale
à 18 ans afin de vivre leur vie selon leur style propre
– il y a donc très peu de pression sociale
de la part des parents.*

J'avais tout juste 9 ans quand j'ai décroché mon premier travail. Ma grand-mère m'avait parlé d'une agence de mannequins qui cherchait des jeunes filles pour faire des photos. J'ai demandé l'autorisation à mes parents. Ma mère m'a emmenée voir la directrice, qui m'a engagée. J'étais ravie à la perspective de gagner mon argent de poche par moi-même. Ma « grande carrière de mannequin » n'a pas duré longtemps : j'ai finalement préféré à 13 ans (l'âge légal minimum au Danemark pour travailler sans l'autorisation des parents) trouver un autre travail. J'ai été engagée dans le kiosque de l'hôpital de la commune d'Århus : j'avais un petit chariot rempli de journaux que je vendais aux patients. Je parcourais les couloirs en criant « journaux, magazines ! ». Cela m'amusait beaucoup et j'étais très heureuse de m'y rendre deux fois par semaine après l'école. Jusqu'au jour où la responsable du kiosque m'a accusée d'avoir volé un magazine dans le chariot. Je suis partie en répondant que notre collaboration ne pouvait se poursuivre si elle ne me faisait pas confiance. Je me souviens que ma mère, lorsque je le lui ai raconté, était fière de moi.

Se donner les moyens de sa liberté

Tous mes amis ou presque avaient un job en dehors de l'école. C'est le cas de près de 70% des jeunes de 13 à 17 ans au Danemark. Le chiffre grimpe à plus de 80% à partir de 17 ans. Même si les comparaisons sont difficiles d'un pays à l'autre parce que les méthodes statistiques varient, on peut affirmer sans trop se tromper que c'est beaucoup : en Irlande, en Autriche, en Finlande ou en Allemagne, entre 65% et 70% des étudiants exercent une activité rémunérée pendant l'année universitaire, quand en Espagne (49%), en France (47%) ou au Portugal (20%), c'est moins de la moitié[1]. Au Danemark, les jobs consistent souvent pour les filles à garder des

1. Conseil économique et social, «Le travail des étudiants», 2007, et OVE Infos n° 13, «Les étudiants et leurs conditions de vie en Europe».

enfants, faire le ménage ou être vendeuse dans une boulangerie ou un kiosque. Les garçons livrent plutôt des journaux ou travaillent au supermarché, triant les bouteilles (chez nous, les bouteilles vides ont pour valeur une couronne, c'est-à-dire environ 15 centimes d'euros, ce qui incite les gens à les rapporter au lieu de les laisser traîner dans la nature).

Selon une étude menée par le Centre danois de la recherche sur la jeunesse[1], la première motivation des jeunes est de pouvoir payer par eux-mêmes leurs activités de loisirs. Cela donne effectivement une plus grande liberté vis-à-vis des parents de ne pas devoir systématiquement demander de l'argent, et donc l'autorisation, pour telle ou telle activité. L'étude confirme aussi que les jeunes issus des familles privilégiées travaillent autant que les autres. Ce n'est pas une question de moyens, mais bien une volonté des jeunes d'acquérir une certaine indépendance.

D'ailleurs, ce sens de l'autonomie n'est pas spécifique aux jeunes, il est ancré dans la mentalité danoise. Par exemple, à Copenhague, il existe réellement un quartier entier qui se gère de façon autonome. C'est Christiania, une communauté

---

1. Center for Ungdomsforskning, http://www.cefu.dk/service/english.aspx

qui s'est proclamée «ville libre» en 1971 sur le terrain d'une ancienne caserne militaire. Au départ, c'était plutôt l'expérience de quelques artistes et libres-penseurs, mais de nouveaux habitants sont peu à peu arrivés et Christiania est devenue une partie de la capitale, sans taxes, avec ses propres règles. Sa charte précise que son objectif est de «créer une société autogérée dans laquelle chaque individu se sent responsable du bien-être de la communauté entière». C'est un lieu très animé, qui attire beaucoup de visiteurs, mais qui est aussi souvent controversé – par exemple parce que le cannabis y est en vente libre. Cela a donné lieu à un grand conflit social en 2006, car le gouvernement de droite estimait que ce système parallèle n'était pas légitime ni même juste à l'égard des autres Danois qui paient des impôts. En 2011, l'Etat danois a finalement conclu un accord avec les habitants de Christiania pour qu'ils rachètent les terres occupées de manière à légaliser leur situation[1]. C'est, quoi qu'il en soit, un bon exemple de l'importance que les Danois donnent à l'autonomie.

De mon côté, à 15 ans, pour avoir les moyens de ma liberté, je n'ai pas emménagé à

---

1. *Courrier international*, «Christiania enfin libre», 23 juin 2011.

Christiania, mais choisi un job avec ma meilleure amie, consistant à faire le ménage le soir dans les bureaux d'un cabinet de comptables deux fois par semaine. C'était très bien rémunéré, et comme ce travail ne revêtait en soi pas grand intérêt, je m'inventais des histoires sur les gens qui travaillaient dans les bureaux. Il y avait les personnes ordonnées, les bordéliques, celles qui mangeaient des bonbons toutes seules et celles qui les partageaient avec les autres. Je ne voyais aucunement ce job comme une honte ni une dégradation. C'était juste un moyen comme un autre pour gagner un peu d'argent de poche, clé de l'indépendance.

A 18 ans, j'ai payé mon premier loyer à la maison pour ma chambre. J'étais contente de participer et trouvais cela normal d'aider ma mère qui, suite à son divorce avec mon père, vivait seule avec nous. J'ai passé mon bac cet été-là et suis partie vivre à Paris. Il est très fréquent que les jeunes quittent la maison à 18 ans pour prendre leur indépendance. Selon une étude d'Eurostat[1], le Danemark détient le record mondial du nombre de jeunes qui quittent la maison parentale entre 18 et 24 ans. Seulement 34 %

1. p. 22 http://epp.eurostat.ec.europa.eu/cache/ITY_OFFPUB/KS-80-07-135/FR/KS-80-07-135-FR.pdf

vivent encore chez leurs parents. En France, c'est 62 %, en Angleterre 70 %, et en Espagne et Italie plus de 80 % ! Entre 25 et 34 ans, 98 % des jeunes Danois ont pris leur envol.

Une question très importante se pose toutefois : que faire de cette liberté ? Comment la gérer ? Avoir le choix de son existence et la responsabilité d'être seul face à son destin, c'est merveilleux, mais ça peut aussi se révéler très angoissant. Ce facteur pourrait-il éclairer, du moins en partie, le taux de suicide élevé dans les pays scandinaves ? Selon les chiffres de WHO, la Finlande a un niveau de suicide de 29 (sur 100 000 hommes), la Suède de 18,7 et le Danemark de 17,5. Les chiffres les plus importants sont ceux de la Lituanie (61,3), la Russie (53,9), la Corée (39,9) et le Japon (36,2). En comparaison la France se situe à 24,3 sur 100 000 hommes. Parmi les niveaux les moins élevés se trouvent le Koweït à 1,9 et l'Iran à 0,3 [1]. Et pourtant, je ne suis pas certaine qu'il fasse spécialement bon y vivre. Même phénomène aux Etats-Unis. Des économistes ont étudié un échantillon de 2,3 millions d'Américains, Etat par Etat, pour évaluer si les personnes

---

1. http://www.who.int/mental_health/prevention/ suicide_rates/en..

interrogées étaient satisfaites ou non de leur vie, puis comparer le résultat avec le nombre de suicides dans l'Etat. Il en ressort que l'Utah, premier des Etats américains «heureux», est le neuvième en matière de suicide. Idem pour Hawaii, deuxième au classement du bonheur mais cinquième des Etats pour son taux de suicide[1]. Peut-être que quand on vit dans un contexte épanouissant et positif, quand on nous donne officiellement toutes les chances de choisir un chemin qui nous ressemble et qui nous rende heureux, on a plus tendance à se dire que si ça ne marche pas, alors ce n'est pas le contexte qui ne va pas, mais soi-même? Il ne peut pas y avoir de réponse simpliste. C'est un phénomène très complexe, qui tient à un ensemble de facteurs, individuels et collectifs, tellement variables. Mais il est essentiel de ne pas le passer sous silence et, au moins, de se poser la question.

Actionnaires en culottes courtes?

Au Danemark, l'indépendance des jeunes est aussi facilitée par le système des bourses

---

1. Etude du «Journal of Economic Behavior and Organization», 2011.

d'études : comme on l'a déjà vu au chapitre précédent, l'Etat danois verse aux jeunes 760 euros par mois pour leurs études supérieures, sans conditions de ressources, et l'éducation est gratuite, donc accessible à tous [1]. Ce système permet à chaque personne de décider librement des études qu'elle souhaite entreprendre, sans dépendre des revenus de ses parents.

A ce titre, il me semble que le Danemark est un pays ayant une vraie mobilité sociale. Attention : quand on parle de mobilité sociale, on pense immédiatement, et c'est normal, aux jeunes issus des familles modestes. Mais il ne faut pas oublier que cela redonne aussi une liberté aux jeunes issus de familles aisées. Ah oui, pourquoi aider davantage des enfants déjà gâtés ? Eh bien parce que les revenus de leur famille ne leur garantissent pas toujours, paradoxalement, une vraie autonomie de choix. J'ai eu la chance de beaucoup voyager, et j'ai constaté à travers le monde une tendance des parents, dans les milieux favorisés, à imposer à leurs enfants un choix de carrière : comme ce sont eux qui paient, ils exercent plus facilement une pression sur leurs enfants afin qu'ils fassent ce qu'il leur plaît à eux, parents-financeurs,

---

1. OCDE, «Regards sur l'éducation», 2009.

souvent d'ailleurs pour maintenir leur prestige social, et préserver le niveau de responsabilités ou de revenus acquis dans la famille. J'ai noté d'ailleurs que dans ces environnements, la pression professionnelle se double souvent d'une pression sentimentale concernant le choix du partenaire, surtout pour les filles, que les parents ont tendance à orienter vers un parti qui correspond à leur milieu social.

Au Danemark, il est beaucoup plus rare d'observer ce genre de scénario, car les différences sociales sont peu marquées : le programme des Nations unies pour le développement établit[1] que c'est l'un des pays les plus égalitaires au monde, et nous aurons l'occasion de revenir sur ce point plus loin. L'égalité de tous reste l'une des valeurs les plus ancrées dans notre pays – avec la modestie, nous y reviendrons aussi tout à l'heure. Tout cela tend à limiter la pression parentale sur l'orientation des jeunes. Un récent rapport du Conseil de l'Europe pose cela noir sur blanc : « Au Danemark, la décision de poursuivre des études supérieures est de moins en moins liée au milieu parental[2]. »

---

1. UNPD, Human Development Report, 2009.
2. Conseil de l'Europe, Projet de Rapport visant à promouvoir la mobilité sociale en tant que contribution à la cohésion sociale, 2011.

A 11 ans donc, j'avais déjà gagné environ 1 300 euros avec mon petit job de mannequin. J'annonçai à mes parents que j'avais bien réfléchi et que je voulais changer de banque pour mettre mon argent chez «Den Danske Bank». Ma famille était pourtant depuis longtemps cliente d'une autre banque danoise. L'idée m'était venue parce que le directeur de la Danske Bank fréquentait régulièrement les dîners que donnaient mes parents à la maison. Mon frère et moi étions toujours conviés à table lors de ces repas qui réunissaient souvent les clients du cabinet d'avocats de mon père. J'avais bien observé ce monsieur, et je lui trouvais un air très sérieux, donc parfait pour s'occuper de mon argent. Ma mère m'a accompagnée à la banque. J'ai acheté mes premières actions avec une partie de mes économies car je trouvais encore plus excitant d'être actionnaire.

Bien sûr ce genre de démarche un peu extrême n'est pas courant chez les enfants, je le concède, mais cela illustre bien en tout cas l'aspiration d'autonomie des jeunes esprits danois. D'ailleurs, le nombre d'enfants qui ont leur propre compte bancaire est assez impressionnant : la plupart des petits Danois que je connais, ou que j'ai connus lorsque j'étais moi-même enfant, sont déjà affiliés à une banque.

Cette culture de l'autonomie peut aussi donner des ailes, ou de l'audace : elle explique sûrement ma démarche un peu cavalière pour obtenir mon premier vrai rendez-vous professionnel. Suite à deux années sabbatiques entre Paris et Copenhague, je décide qu'il est temps de reprendre les études. Un matin, en parcourant le journal financier danois *Børsen*, je découvre un article sur une femme extraordinaire. Une très belle femme, fille d'un ambassadeur danois. Grâce au métier de son père, elle avait vécu dans tous les pays exotiques du monde. Elle expliquait ensuite les différentes étapes de son impressionnante carrière dans le monde des cosmétiques. Elle venait d'être nommée directrice générale de la marque danoise d'audiovisuel haut de gamme Bang & Olufsen en France. Je me dis : «Waouh, je veux être comme elle, je vais lui demander comment elle a fait.» Je trouve le numéro et appelle tout simplement son assistante, qui n'était pas très convaincue de la nécessité de passer cette jeune Danoise à sa directrice générale. Elle refuse que je lui parle, et cela continue pendant un mois : tous les jours, j'appelle. Un jour, par lassitude, elle finit par me la passer. Je parle pour la première fois avec Elisabeth. Je lui explique mon ambition d'emprunter le même chemin qu'elle et la supplie de me consacrer quinze minutes de son temps. Elle m'accorde un rendez-vous dans ses bureaux à La Plaine Saint-Denis. Nous discutons pendant trente minutes et je lui propose de venir travailler pour elle, même non rémunérée, juste pour m'imprégner de son expérience. Pour me tester, elle m'envoie monter un stand d'anciens produits Bang & Olufsen à la foire de Lyon pendant deux semaines. Elle a dû se dire : si elle tient le coup, c'est bon. Et voilà comment j'ai décroché mon premier job, car Elisabeth m'a ensuite proposé un contrat en alternance chez Bang & Olufsen à Paris. Pendant mes études de marketing et de commerce international, j'ai donc vécu trois ans entre Paris et Copenhague. En réalité, j'avais trouvé en Elisabeth la personne idéale pour me guider sur mon chemin professionnel. Ce qu'elle m'a appris pendant les six ans où j'ai travaillé avec elle reste encore aujourd'hui une base essentielle dans ma vie professionnelle.

Derrière ces anecdotes d'argent de poche et de persévérance, le message est plus profond et très révélateur de la culture danoise : l'émancipation, l'affirmation de la personnalité dès le plus jeune âge permettent l'épanouissement de l'adulte à venir, même si c'est un chemin parfois difficile. C'est l'histoire de la « petite sirène » de notre célèbre conteur Hans Christian Andersen, qui doit contester l'autorité de son père pour s'aventurer ailleurs et devenir enfin heureuse « sur terre » ; ou encore l'aventure de son « vilain petit canard », qui doit assumer de ne pas être comme le reste de sa famille pour devenir qui il est réellement. Voilà à mon sens une clé fondamentale du bonheur danois : la liberté de devenir soi-même.

4

Je peux devenir qui je veux
(l'égalité des chances)

*Le vrai pays de la mobilité sociale libre...
c'est le Danemark.*

Cela sera peut-être un peu osé de ma part, mais allez, je me lance : en réalité, le fameux «rêve américain» est plutôt un rêve... danois ! Ah bon ? D'abord qu'appelle-t-on le «rêve américain» ? L'idée, très belle, que tout le monde peut créer son propre succès, quel que soit son point de départ. De façon moins «poétique», c'est ce que les économistes et les sociologues appellent la mobilité sociale, la capacité d'une génération nouvelle à faire mieux, ou en tout cas différemment, que la génération de ses parents. Cette mobilité sociale est entièrement liée aux notions que nous venons d'évoquer, celles de l'autonomie et la liberté individuelle.

Copenhague Side Story

«Rêve américain» donc... sauf que, selon une étude de l'OCDE[1], il est beaucoup plus facile de prendre l'ascenseur social dans les pays nordiques comme le Danemark qu'en France, en Italie, en Grande-Bretagne... ou même, étonnamment, qu'aux Etats-Unis. Eh oui : gravir l'échelle sociale aux Etats-Unis n'est finalement pas si simple. Selon la «Great Gatsby Curve», littéralement la «courbe de Gatsby le Magnifique», qui établit une relation entre les inégalités et le manque de mobilité sociale intergénérationnelle[2], les Etats-Unis se positionnent même loin derrière la France, le Japon et bien sûr le Danemark.

Qu'est-ce qui fait qu'une société est plus ou moins mobile ? D'après l'OCDE, la mobilité sociale d'une génération à l'autre est généralement plus importante dans les sociétés les plus égalitaires. Or, le système social et fiscal danois, justement, est fortement redistributif, c'est-à-dire qu'il vise à réduire l'écart entre les plus faibles et les plus forts revenus. Nous reviendrons plus longuement sur cette question de fiscalité dans les chapitres suivants.

---

1. OCDE, *Mobilité sociale intergénérationnelle : une affaire de famille ?*, mars 2010.
2. Alan Krueger, 2012.

L'OCDE insiste aussi beaucoup sur le rôle des politiques éducatives dans cette mobilité. Un système qui favorise l'accès de tous à l'éducation, en proposant des aides financières si nécessaire, augmente considérablement l'égalité des chances. Dans les pays où des systèmes d'aide sont à disposition de tous les étudiants – c'est le cas du Danemark, on l'a vu –, la chance de faire des études supérieures en venant d'une famille peu instruite est plus forte.

Attention : cela étant dit, la mobilité sociale reste l'un des sujets les plus importants et les plus délicats pour le gouvernement danois. Même si nous figurons parmi les mieux placés dans le monde sur ce plan, l'héritage social reste toutefois déterminant, quant à la réussite ou au niveau d'étude par exemple.

J'avais environ 8 ans quand mes parents ont décidé de m'inscrire dans une école privée. En 2012, on comptait environ 537 écoles privées au Danemark, et 1 754 écoles publiques dont 436 écoles spécialisées. Les écoles privées sont financées à hauteur de 87 % par le public mais les parents participent aux frais, à raison de 150-200 euros par mois [1].

---

1. Source : ministère danois de l'Éducation «undervisnings ministeret», 2012.

Les élèves scolarisés dans l'école privée que j'intégrais, la «Forældreskolen», étaient plutôt issus d'un milieu privilégié, mais dans chaque classe, deux ou trois élèves avaient une bourse, leurs parents n'avaient donc pas à payer les frais scolaires supplémentaires liés au statut privé de l'enseignement. En définitive, ma classe était assez représentative d'un certain mélange social.

Ma meilleure amie était issue d'une famille «compliquée», elle habitait dans un petit appartement avec ses parents et sa petite sœur. Sa mère buvait beaucoup, je dirais même aujourd'hui, avec mon regard d'adulte, qu'elle était alcoolique. De temps en temps elle nous demandait de lui acheter du Martini blanc au supermarché, bien que la vente d'alcool fût interdite aux mineurs. Ce n'était pas évident pour mon amie, mais cette différence de contexte familial ne changeait rien à notre amitié. Vers nos 14 ans, son père lui a annoncé qu'il était homosexuel et qu'il partait vivre avec un homme. Ç'a été très dur pour elle à la maison, et à l'école aussi parce qu'elle redoutait les réactions des autres. Je me souviens que notre professeur s'était assuré que nous ferions en sorte de la soutenir au mieux. Puis nous avons toutes les deux été admises dans le même lycée au cœur de Århus et, théoriquement, avions les mêmes chances de réussite, ayant bénéficié des mêmes accès à l'éducation et des mêmes aides financières, indépendamment de notre environnement familial. Théoriquement, parce que malgré tout elle n'a pas réussi à avoir son bac, et à l'époque elle a dû se débrouiller avec des petits boulots. Comme nous avons perdu contact, je ne connais pas la suite, mais je souhaite qu'elle ait trouvé le chemin d'une vie qui la rende heureuse. Cet exemple montre que même si une société offre à tous des possibilités financières équivalentes, cela n'engendre pas pour autant une égalité parfaite face à la réussite. Le parcours peut rester plus difficile quand on vient d'un milieu défavorisé, si des difficultés psychologiques, affectives, ou simplement un manque de soutien, d'informations ou d'horizons freinent l'avancée dans les études.

Vous avez dit milliards ?

Mais revenons à notre «rêve américain». Si l'on considère qu'«american dream» signifie devenir milliardaire, alors là, en revanche, il faut aller frapper à une autre porte : le Danemark n'est pas le meilleur pays pour ça. Les raisons peuvent être nombreuses : une fiscalité qui redistribue les revenus d'une part, une école qui ne cultive pas spécialement d'élite, comme on l'a vu, ou encore tout simplement le fait que la culture danoise ne place pas l'argent en première priorité, j'y reviendrai. Toujours est-il que pour devenir milliardaire au Danemark, même en couronnes danoises, il faut vraiment avoir une idée révolutionnaire.

En 2011, 60 000 Danois ont gagné plus d'un million de couronnes (130 000 euros)[1], sur une population totale de 5,6 millions d'habitants. Je n'ai pas trouvé de chiffres fiables sur la part d'entre eux qui vient de milieux déjà favorisés. Mais je peux témoigner de ce que je vois, ou de ce que j'ai vu : parmi les Danois que je connais et qui gagnent beaucoup d'argent, la grande majorité est issue de la très grande classe moyenne, ou même en dessous. Ils gagnent tous plus que leurs parents.

Pour approfondir ma recherche, j'ai contacté l'un des plus gros cabinets d'avocats de Copenhague. Les associés gagnent tous plus d'un million de couronnes par an et

---

1. Source : Danmarks Statistik, Institut des statistiques du Danemark, 2011.

appartiennent donc à ce fameux 1 % de la population. L'associé qui a accepté de me rencontrer[1] est lui-même issu d'un milieu ouvrier et a grandi dans une petite ville en Jutland. Il m'a reçue dans la très belle salle de réunion de ses magnifiques bureaux de Copenhague, en bord de mer. Il s'est montré très sympathique, souriant, simple et décontracté, incarnant parfaitement cette mobilité sociale propre au Danemark. «Si j'étais né dans un autre pays, je doute que je serais arrivé là où je suis aujourd'hui», dit-il en ajoutant : «J'ai eu toutes les possibilités de faire ce que je voulais indépendamment de mon point de départ. J'ai même réussi mes études de droit sans m'endetter grâce à notre système de bourse.» Il estime à environ 20 % le nombre de membres du cabinet provenant d'un milieu déjà favorisé; mais la grande majorité, 60 % environ, est issue de la grande classe moyenne. Les 20 % restants sont des personnes qui viennent de milieux vraiment difficiles, qui se sont battues un peu plus, pour se défaire d'un héritage social lourd. «Ma motivation n'a jamais été de gagner beaucoup d'argent, mais plutôt de faire quelque chose que j'aime», ajoute notre

---

1. Interview de l'auteur avec l'un des associés d'un cabinet d'avocats de Copenhague, qui préfère rester anonyme, le 11 novembre 2013 à Copenhague.

avocat en souriant. Il concède toutefois que l'argent offre une certaine liberté et qu'il est fier et heureux de payer des impôts très élevés afin de rendre au pays ce qu'il a reçu.

On pense souvent que les études de droit à l'université sont surtout réservées aux étudiants issus d'un milieu privilégié, et qui s'inscriraient dans une tradition familiale du métier juridique. Mais mon interlocuteur estime que la part de ces «jeunes privilégiés» ne dépasse pas 30 % d'une promotion, ce qui veut dire quand même que 70 % représentent un mélange de toutes les classes sociales, avec une majorité de classes moyennes. Car bien sûr, la mobilité sociale reste plus facile pour les personnes appartenant à la classe moyenne que pour celles qui proviennent de milieux très défavorisés, pour qui les obstacles sont souvent plus nombreux et les difficultés plus profondes, malgré un système social bien établi et généreux.

Mais une fois encore, «mobilité sociale» ne signifie pas forcément une ascension du bas vers le haut, d'un niveau plus modeste vers un niveau plus riche. Dans l'esprit danois, cela signifie surtout avoir la possibilité de vivre librement, différemment s'il le faut de ceux qui nous ont précédés. D'agir de la façon qui nous ressemble. Souvenez-vous de l'héroïne danoise du célèbre film *Out of Africa*, l'écrivain Karen Blixen : c'est sûr, on ne peut pas dire qu'elle soit partie de rien, elle était même issue d'une famille très aisée. Mais à sa façon, elle incarne cette foi très danoise dans la possibilité de vivre son rêve, même s'il est dangereux, ou mal compris par les autres : Karen Blixen, au tout début du XXe siècle, a refusé les traditions bourgeoises de son milieu : elle est partie monter une ferme au Kenya. Son projet a été un échec financier, c'est-à-dire qu'elle est revenue au Danemark avec beaucoup moins d'argent qu'au départ... mais tellement plus riche de vie, d'humanité et d'inspiration, pour elle et tous ceux qui ont pu ensuite lire ses histoires.

Autre exemple peut-être un peu plus terre à terre : le chauffeur de taxi qui m'emmène à l'aéroport en quittant Copenhague suite à un week-end en famille. Il me raconte sa vie, comme le font souvent les chauffeurs de taxi : «Ah tu sais, moi, avant j'étais en costume cravate tous les jours, je gagnais beaucoup d'argent ; mais un jour je me suis dit, pourquoi courir comme ça, juste pour le prestige et pour le confort matériel ?» Il a quitté son job et travaille depuis dix ans comme chauffeur de taxi. «J'adore cette liberté au Danemark de choisir sa vie, ajoute-t-il. J'ai tout eu pour aller aussi loin que je voulais, et maintenant mon choix est de vivre plus modestement mais plus tranquillement.»

Voilà à mes yeux deux exemples très danois : quel que soit le point d'origine dans la vie, tous les chemins sont possibles.

5

J'ai des rêves réalistes
(des attentes réalistes)

Les Danois aiment les choses simples de la vie. Ils ont
peu d'ambitions matérialistes.
Pas de rêves de grandeur.

Depuis que je suis petite, je me suis habituée aux expressions suivantes : «avec modération» (*alt med maade*), «pas si mal» (*ikke saa daarligt*) ou «suffisamment bien» (*godt nok*). Ces manières de s'exprimer reflètent un état d'esprit : «ça va aller» et même si ce n'est pas le «must du must», eh bien c'est déjà ça. C'est assez caractéristique d'un état d'esprit danois : avoir des attentes réalistes vis-à-vis de la vie. Certains pourront même dire des attentes modérées.

Knud le Grand, champion d'Europe ?

A part à l'époque des Vikings où le Danemark était l'un des pays les plus grands et puissants d'Europe (au XIe siècle, avec le roi Knud le Grand, le royaume du Danemark englobait la Norvège, de vastes territoires au sud de la Suède, et même une bonne partie de l'Angleterre), nous ne sommes pas connus pour nos rêves de grandeur, ni pour notre besoin d'être les meilleurs ou de vouloir battre tout le monde. C'est vrai, du XIIIᵉ au XVIIᵉ siècle, le Danemark était plutôt une grande puissance, exerçant une certaine influence : le royaume menait des conquêtes sur les rives de la Baltique, dictait l'union des Scandinaves... Mais par la suite, quatre siècles de batailles perdues et d'«amputations» des territoires sous les coups de la Suède, de la Norvège, mais aussi des armées prussiennes et autrichiennes au XIXᵉ siècle ont réduit le pays à la modeste taille qu'il a aujourd'hui. Cette histoire, grandeur puis dépossession, a certainement contribué au développement d'un comportement réaliste vis-à-vis des difficultés de la vie.

Quel rapport avec le bonheur, me demanderez-vous ? Simple : comme les Danois ne s'attendent pas à être les meilleurs, ni à gagner ou briller devant les autres, ils sont plus satisfaits de ce qui est. Si par chance (ou par talent, même si nous n'aimons pas trop le revendiquer !), nous devons gagner quelque chose, le plaisir est alors multiplié par mille. Souvent, lorsqu'on n'a pas d'attentes, ou peu, face à une situation donnée, il est plus probable que l'on sera agréablement surpris au final, et donc content. Au contraire, quand on place la barre haut, il est fréquent d'être déçu car les faits, ou les êtres, ne sont pas à la mesure de ce que l'on pensait.

Une majorité des pays européens, comme l'Allemagne, l'Angleterre, la France et l'Espagne ont des histoires riches, avec de nombreuses victoires, de longues périodes de grandeur, de colonisation dans le monde entier... Il en va de même pour les Etats-Unis, depuis longtemps la plus grande puissance du monde. Forcément, cela mène plus facilement à des rêves de grandeur, même d'un point de vue individuel. Mais la volonté systématique d'être le meilleur mène indéniablement à la déception.

On peut chercher les racines profondes de ce sens des réalités au Danemark. Peut-être tient-il, comme l'autonomie d'ailleurs, à l'influence de la culture protestante ? Il est vrai que le protestantisme s'est enraciné très tôt au Danemark, comme dans les autres pays scandinaves. Dès le règne de Christian III, au XVIᵉ siècle, la réforme luthérienne fait du protestantisme la religion nationale du Danemark. Il y aura ensuite beaucoup d'allers-retours et de tensions entre conservateurs et réformistes, jusqu'à ce que la liberté religieuse soit garantie par la Constitution de 1849. Mais la culture protestante a marqué les esprits, c'est certain, et aujourd'hui, sur 5,6 millions de Danois, environ 85 % sont chrétiens, dont 4,5 millions de protestants. Le catholicisme représente moins de 1 % de la population. Beaucoup de grandes figures danoises étaient des protestants, comme l'astronome du XVIᵉ siècle Tycho Brahé ou nos fameux écrivains Andersen, Karen Blixen et Søren Kierkegaard. Cet héritage protestant, donc, pourrait être un facteur de réalisme. C'est en tout cas la vision développée par le célèbre économiste et sociologue allemand Max Weber[1] : pour lui, la pratique du protestantisme entraînerait certains comportements comme la rigueur et la frugalité, c'est-à-dire une tendance à se contenter de peu, à ne pas dépenser, à travailler beaucoup. La thèse de Max Weber a été beaucoup discutée. Mais elle ouvre des pistes intéressantes sur les origines du réalisme danois.

Les pieds dans les nuages

En juin 1992, des centaines de milliers de Danois sont descendus dans la rue. Le pays était en pleine euphorie : le Danemark venait de

---

1. Max Weber, *L'Éthique protestante et l'esprit du capitalisme*, 1904-1905.

remporter le championnat d'Europe de football. Pourtant l'équipe n'était même pas qualifiée au départ : les joueurs danois ont été appelés à la dernière minute pour remplacer l'équipe de Yougoslavie, empêchée du fait de la guerre et d'un embargo. Des milliers de Danois, le visage peint en rouge et blanc, avaient fait le voyage en Suède pour soutenir leur équipe. Les autres étaient tous devant leur poste de télévision et au moment de l'hymne national, on entendait dans les rues le pays entier qui chantait *Der er et yndigt land.* Comment notre petit pays a-t-il pu battre les meilleures équipes de la compétition, comme l'Allemagne, la France ou les Pays-Bas ?

Cette victoire inespérée illustre bien les attentes toujours très mesurées des Danois qui ne s'emballent pas (personne n'aurait même osé imaginer cela !), mais aussi leur modestie, indissociable de cette approche de la vie.

Je me demande même si cette victoire sportive n'a pas été l'un des moments les plus heureux de l'histoire du Danemark depuis la fin de la Seconde Guerre mondiale. A tel point que quand les experts essaient d'expliquer le bonheur danois, certains se demandent si ce n'est pas l'effet de ce titre, tellement rare pour les Danois, qui se prolonge encore et toujours.

Une étude menée par le *British Medical Journal* en 2006[1] jugeait une fois de plus les Danois les gens les plus heureux d'Europe, plus de 66% d'entre eux se déclarant «très satisfaits de leur vie». La moyenne des gens satisfaits dans les autres pays d'Europe était de 50%, et une grande partie des pays comptaient plutôt autour de 33% de gens «très satisfaits de leur vie» (la France, elle aussi, se situait aux alentours de 30%).

Jusque-là, rien de très nouveau, car le Danemark, comme on le sait, est presque systématiquement cité parmi les pays les plus satisfaits au monde. Ce qui est nouveau cette fois, c'est que le rapport conclut, noir sur blanc, qu'une des raisons principales de cette satisfaction tient bel et bien à des «*low expectations*», des attentes moins élevées qu'ailleurs.

Mais ce n'est pas tout: l'étude tente aussi une explication... «footballistique» du bonheur: elle revient sur la longue série de guerres ratées que nous avons évoquée plus haut, en commençant par la défaite en Angleterre de 1066, puis la perte de la Suède, de la Norvège, du nord de l'Allemagne, des îles Vierges américaines et de

---

1. Kaare Christensen, Anne Marie Herskind, James W. Vaupel, «Why Danes are smug: comparative study of life satisfaction in the European Union».

l'Islande, pour dire que finalement, à part notre fameuse victoire au championnat d'Europe en 1992, nous n'avons pas remporté grand-chose depuis des siècles. Par conséquent, l'effet de cet exploit pourrait éventuellement expliquer, encore aujourd'hui, une partie de la satisfaction du pays. C'est tentant, mais les études d'avant 1992 nous positionnant déjà en tête des pays heureux, cela apparaît quand même un peu difficile à soutenir !

Laissons donc de côté le ballon rond, et retenons simplement l'apport essentiel de l'étude du *British Medical Journal* : oui, en attendre moins rend plus heureux. Mais attention, être réaliste, ça ne veut pas dire ne pas avoir de rêves ou d'idéaux ! C'est ce qu'explique très bien le professeur de psychologie d'Harvard dont nous avons déjà parlé, Tal Ben-Shahar[1]. Pour lui, opposer réalisme, les pieds bien sur terre, et idéalisme, la tête dans les nuages, n'a pas de sens : « Etre idéaliste, c'est être réaliste au sens le plus profond du terme, puisque c'est être fidèle à notre vraie nature », éclaire-t-il, car notre nature, c'est justement d'« introduire du sens dans nos vies ». Ainsi, sans but ultime, sans étoile à suivre ou sommet à gravir, nous ne pouvons

---

1. Tal Ben-Shahar, *op. cit.*

réaliser pleinement notre potentiel de bonheur. Ce qui ne signifie pas que le bonheur soit d'atteindre le sommet: le réalisme, c'est savoir savourer l'ascension, reconnaître et accepter les obstacles sur le chemin.

Cet «idéalisme réaliste» m'a souvent aidée dans les épreuves difficiles. Mon rêve depuis toute jeune était de venir vivre à Paris, la grande capitale de l'art de vivre, de la culture, de la gastronomie, de la philosophie... la belle vie. Arrivée à 18 ans seule dans la «Ville lumière», sans vraiment parler la langue, avec pour seul et unique repère l'église danoise, eh bien... la vie n'était pas si belle que ça. Mon idéalisme n'avait pourtant pas déserté, je VOULAIS aimer Paris et je voulais qu'elle m'aime aussi. Mais c'est mon réalisme qui m'a fait tenir de longs mois à pleurer dans le métro, à ne comprendre ni les gens ni la culture de ce nouveau pays qui m'accueillait. Je savais au fond que j'étais jeune et sans grande expérience de la vie. Ma bataille pour mon bonheur parisien allait être difficile. J'étais jeune fille au pair dans une famille avec deux petites filles. J'avais une chambre de service de 10 m² au 8ᵉ étage sans ascenseur. Je travaillais de 8 heures du matin à 20 heures le soir. J'étais très loin de ma vie confortable au Danemark.

Au bout de quatre mois de galère, ma mère a décidé de venir me chercher en voiture pour me ramener à la maison. Elle m'a dit : «Chérie, tu as bien prouvé que tu es forte et courageuse, mais cela ne sert à rien d'être malheureuse comme ça.» Je lui ai répondu : «Je savais que ça allait être dur, mais je poursuis mon rêve, et la décision de quitter Paris ou pas, je la prendrai quand je serai heureuse ici.» Elle est repartie avec sa voiture en laissant sa fille «idéaliste réaliste» faire ses propres expériences de la vie.

Sylvie Tenenbaum, psychothérapeute, l'exprime en ces termes[1] : «L'urgence réside dans le renoncement définitif à l'enfance et à l'adolescence, aux illusions et aux rêves impossibles : ils ne font qu'entraver le développement de votre personnalité, l'épanouissement de l'ensemble de vos facultés qui restent en jachère. [...] Il faut savoir laisser derrière vous ce qui vous détourne à coup sûr de l'acceptation de la réalité.»

Comme me l'a dit une de mes amies très lucide et sage, un jour où l'on parlait de nos projets et de nos rêves de changements futurs, «la vie continuera toujours à nous défier, mais on a juste envie de temps en temps de changer de problème !»

---

1. Sylvie Tenenbaum, *C'est encore loin le bonheur ?*, InterEditions, 2007.

6

Je vais mieux si tu vas bien
(le respect de l'autre/la solidarité)

Une grande majorité des Danois sont favorables
aux impôts élevés, et sont profondément attachés
à l'Etat-providence. Partager les rend heureux,
à condition que tout le monde participe.

Copenhague, au cœur de la Seconde Guerre mondiale. La légende raconte que le roi Christian X du Danemark parcourait les rues à cheval, arborant l'étoile de David en signe de solidarité avec les Juifs.

En réalité, il n'existe aucune photo, ni aucune source qui confirmerait ce geste héroïque. De surcroît, le port de l'étoile n'a jamais été imposé aux Juifs danois. C'est un télégramme publié à Londres en 1942 qui serait à l'origine de la légende : «Lorsque le roi danois a appris que les Allemands voulaient imposer le port de l'étoile jaune il a déclaré : "Si cela arrive, je l'épinglerai à mon propre uniforme et donnerai l'ordre à mon entourage d'en faire autant."» Peu importe qu'il s'agisse d'un mythe, l'histoire montre une chose : la solidarité est une valeur caractéristique de la culture et de la mentalité danoises, une solidarité non seulement entre Danois, mais aussi vis-à-vis du monde extérieur. D'ailleurs, avec ou sans «roi à l'étoile», les Danois ont tout mis en œuvre pour protéger les Juifs pendant la guerre. La résistance danoise a notamment organisé une opération de sauvetage au cours de laquelle des pêcheurs conduisirent en lieu sûr, en Suède, pays neutre, quelque 7 200 Juifs (sur une population juive totale de 7 800 personnes)[1]. Le Danemark est le seul pays au monde à avoir reçu la mention «Juste parmi les nations» décernée par le mémorial Yad Vashem en Israël. Cet hommage fut également rendu à travers toute l'Europe à plus de 21 000 personnes dont les actions constituent des exemples exceptionnels de courage, de générosité et d'humanité[2].

Ras-le-bol ?

Une des preuves de cette solidarité nationale, c'est l'adhésion massive des Danois à notre système fiscal. Une étude réalisée en 2012 auprès

---

1. Source : United States Holocaust Memorial Museum.
2. http://www.juif.org/le-mag/181,qui-sont-les-justes. php

de plus de 2 000 Danois [1] confirme leur attachement à l'Etat-providence et leur bonne volonté à le financer par l'impôt. Sept Danois sur dix trouvent satisfaisant de l'équilibre entre les impôts et les services fournis par l'Etat. Pour les plus modestes, qui gagnent moins de 200 000 couronnes par an (soit 27 000 euros), ce chiffre monte à plus de 80 %, et il descend à 40 % pour ceux dont les revenus s'élèvent à plus d'un million de couronnes par an (135 000 euros), et qui représentent à peine plus de 1 % de la population [2].

Pourtant, la pression fiscale au Danemark est la plus élevée au monde avec un taux de 48,1 %, la moyenne des pays de l'OCDE étant de 34 % (en France, l'ensemble des recettes fiscales représentaient en 2011 environ 45 % du PIB selon l'OCDE, soit la deuxième pression fiscale la plus élevée de ces pays) [3]. Le taux marginal de 56,2 %, qui est aussi l'un des plus élevés d'Europe, est appliqué à partir de 390 000 couronnes de revenu annuel (soit 52 000 euros), considérant que le revenu moyen d'un Danois est de 287 000 couronnes (38 500 euros) [4]. Selon le

---

1. Etude YouGov pour UgebrevetA4, 2012.
2. Danmarks Statistik.
3. OCDE, pression fiscale par pays, 2012.
4. Danmarks Statistik.

ministère des Impôts, cela s'appliquerait à 14 % de la population.

Et malgré ce niveau d'impôt... eh bien il n'y a pas de «ras-le-bol fiscal» au Danemark. Seuls 20 % des Danois considèrent qu'ils paient trop d'impôts, contre 66 % qui pensent que le niveau d'imposition est juste... et 12 % qui estiment même qu'ils n'en paient pas assez[1]! Il faut y lire la confiance dans le bon usage qu'en fait leur gouvernement pour les services publics, l'éducation, la santé, les transports. 61 % des Danois déclarent même qu'une baisse d'impôt les laisserait indifférents.

Ma banquière m'appelle : «Madame Rydahl, il faut que nous nous voyions de toute urgence !» Je suis un peu étonnée, car j'ai depuis toujours une très bonne relation avec les banques et je suis très organisée avec mon argent. Je lui réponds : «Ah bon, mais qu'est-ce qui se passe ?» Avec une voix grave, elle me rétorque : «J'ai regardé et vous payez beaucoup trop d'impôts. J'ai des plans à vous proposer pour en payer beaucoup moins.» Je m'étonne : «Ah oui ? Pourtant ma feuille d'impôt est assez simple, donc je ne pense pas...» Elle insiste : «Si, si,

---

1. Enquête Greens Analyseinstitut pour le quotidien économique *Børsen*, 2010.

Madame Rydahl, vous voyez, si vous achetez un bien à l'île de la Réunion et que... bla bla bla.» Je l'arrête : «C'est adorable de votre part, mais vous savez, je suis très heureuse de vivre en France et c'est un plaisir pour moi de participer à ce système social en payant des impôts... même élevés!» Elle marque un blanc et reprend ses esprits : «Ha ha, vous êtes très drôle Madame Rydahl, on m'a fait beaucoup de blagues, mais jamais celle-là.»

Comme mon anecdocte l'illustre, ce sentiment est loin d'être partagé partout en Europe ou dans le monde. En France, par exemple, près des trois quarts de la population (72%) pensent payer trop d'impôts. 74% des Français estiment contribuer plus au système qu'ils n'en retirent d'avantages. 88% pensent que les recettes fiscales sont mal utilisées par les pouvoirs publics. Et presque la moitié (45%) approuvent finalement ceux qui décident de s'installer à l'étranger pour payer moins d'impôts [1]. En Espagne, neuf personnes sur dix estiment que les impôts ne sont pas collectés de façon juste ; près de 67% d'entre eux pensent aussi que l'État leur rend moins que ce qu'ils

---

1. Sondage Ipsos Public Affaires publié par *Le Monde*, BFMTV et la *Revue française des finances publiques*, 14 octobre 2013.

payent en impôts et en cotisations, et 70% considèrent que dans l'ensemble, la société bénéficie peu, ou moins que ce qu'elle donne par les impôts[1]. Aux Etats-Unis, le fait de payer des impôts ne fait pas non plus toujours l'unanimité : les Etats-Unis ont un régime fiscal assez unique, qui prend en compte la nationalité et non le lieu de résidence, ce qui veut dire que quel que soit l'endroit où un Américain habite et gagne sa vie, il devra faire une déclaration d'impôts. Si les impôts acquittés dans le pays de résidence sont inférieurs aux impôts américains, la différence doit être versée au fisc américain[2]. Or, ces dernières années, la politique fiscale américaine augmente la pression et les moyens de contrôle de l'IRS (le fisc américain) afin que les Américains expatriés n'y échappent pas. Eh bien, en conséquence, ils sont de plus en plus nombreux à faire le choix de renoncer à leur nationalité. Selon les statistiques du Federal Register, 1 781 Américains ont abandonné leur nationalité en 2011, ce qui représente une hausse de 16% par rapport à 2010. Ce chiffre peut paraître anodin bien sûr si on le compare aux cinq millions

---

1. Centro de Investigaciones Sociologicas (CIS), sondage annuel, novembre 2013.
2. http://www.senat.fr/lc/lc192/lc1927.html

d'Américains qui vivent à l'étranger, mais c'est quand même sept fois plus qu'en 2008[1].

Quelques semaines plus tard, je dîne chez une amie. Son mari, un homme d'affaires qui a bien réussi, lance au milieu du repas : «Bah moi, je n'ai jamais payé un centime d'impôt en France. Honnêtement, vu comme les politiques sont nuls, je n'adhère pas.» Pour ne pas rentrer dans un débat animé je dis simplement : «Pourtant tu as gagné beaucoup d'argent depuis des années, je ne savais même pas que c'était possible de ne rien payer.» Tout fier de lui, il me répond : «Si si, il y a toujours moyen quand on ne veut vraiment pas payer. Franchement, si c'est pour que l'argent soit dépensé comme ça, c'est sans moi.» Je le regarde, intriguée par sa logique : «Mais dis-moi, je sais que l'on peut évidemment discuter du niveau de l'imposition, de la politique, etc., mais tu ne sens pas le devoir de participer au moins un petit peu? Après tout, tu profites bien de l'infrastructure, des hôpitaux, de la police, de la justice... Ça vaut bien une petite participation, non?» Un peu gêné (quand même), il change de sujet : «Ah, parlons d'autre chose : c'est génial, je suis allé voir une exposition organisée par la Mairie de Paris,

---

1. Federal Register, 2012.

c'était magnifique et puis c'était complètement gratuit!»

Solidarité «*fair-play*»

Attention: nous, Danois, avons envie de partager, à la condition que tout le monde participe et respecte le système sans chercher à en profiter ni à tricher.

Nous sommes en 2011. La campagne électorale est en pleine effervescence au Danemark. Özlem Cekic, la porte-parole du parti de l'extrême gauche (SF), veut prouver que la pauvreté existe, même chez nous. Elle décide de prendre l'exemple de Carina, une mère célibataire au chômage qui a, selon elle, des difficultés à s'en sortir. Sauf que, après vérification, Carina touche, toutes aides additionnées, presque 16 000 couronnes (2 100 euros) net par mois. Lorsqu'elle a payé tous ses frais, cigarettes comprises, il lui reste 5 000 couronnes (700 euros) pour s'amuser. Cet exemple fait scandale: «Carina la pauvre» reçoit en aides plus que quelqu'un qui travaille. Le débat dans la presse s'enflamme et les Danois s'indignent. Ils veulent bien payer beaucoup d'impôts et participer à un système solidaire mais ils ne veulent pas se faire avoir. Toutefois un sondage réalisé après cet épisode[1] montre qu'en réalité l'«effet Carina» est assez limité. On ne constate qu'une augmentation de 24% à 28% du nombre de personnes qui pensent que les allocations sociales sont trop élevées. Presque 60% des Danois trouvent que le montant des allocations est juste, voire... trop faible.

Cette notion de respect de l'autre, mais dans la mesure où «l'autre» participe activement au projet commun, est essentielle. Le gouvernement socialiste actuel en a fait son cheval de bataille. Son mot d'ordre: faire la différence entre ceux qui peuvent mais ne veulent pas, et ceux qui veulent mais ne peuvent pas. Une nouvelle réforme supprime l'allocation chômage pour les jeunes de moins de 30 ans et la remplace par une aide financière correspondant à l'aide aux étudiants. Tous ceux qui reçoivent une aide et qui sont en mesure de travailler doivent participer aussi à la vie de la cité, en effectuant des missions pour le bien collectif (nettoyer les rues, les parcs, les plages, aides aux personnes âgées...). Selon une étude, 80% des Danois soutiennent cette initiative[2]. Cette réforme resserre aussi, d'une manière plus générale, les

---

1. Sondage «UgebrevetA4», 2011; http://www.ugebreveta4.dk/Undersoegelser.aspx;
2. Etude «Analyse Danmark» pour «Ugebrevet A4», 2012.

conditions pour les chômeurs qui reçoivent une aide de l'Etat. Ils doivent démontrer qu'ils recherchent activement un emploi. Ils doivent envoyer plusieurs candidatures par semaine et les poster sur un site, «jobnet.dk», afin que le chargé du centre de l'emploi puisse suivre l'activité de la recherche. Si un chômeur ne se présente pas à un entretien, s'il refuse un emploi qui peut lui correspondre ou ne semble pas investi dans la recherche, des mesures concernant ses aides financières sont prises[1].

Le système d'assurance chômage est en effet assez généreux (particulièrement pour ceux qui sont affiliés à un syndicat), mais il faut payer chaque mois pour être assuré. En moyenne, un chômeur reçoit, pendant les quatre premières années de son indemnisation, autour de 73% de son revenu d'activité précédent, contre par exemple 33% au Royaume-Uni, autour de 65% les deux premières années puis de 25% les deux suivantes en Espagne, de 67% décroissant progressivement année après année à 37% en Allemagne, ou 67% les deux premières années en France et 30% les deux années suivantes[2].

1. Ugebrevet, Ledige skal bevise de soeger job, 12.08.13.
2. Sources: OCDE, Eurostat, MISSOC, LeFigaro.fr, 22 février 2012.

Cependant, pour ceux qui gagnent très bien leur vie, il ne faut pas trop compter sur les allocations chômage, car le seuil fixé est à 16 000 couronnes brut (soit 2 100 euros) par mois quel que soit le salaire de référence. Quoi qu'il en soit, «compter sur les allocations chômage» n'est pas une expression qui colle avec la culture danoise – on l'a constaté avec l'exemple de «Robert le paresseux»: chacun doit participer au bon équilibre du pacte social.

Il y a quelques années, j'ai traversé une période de réflexion concernant l'orientation de ma carrière. En 2003, suite au départ d'Elisabeth de chez Bang & Olufsen, je me retrouve dans un univers très différent, à savoir celui de la publicité. Je n'avais pas vraiment choisi ce job mais j'étais sûre au moins de pouvoir payer mon loyer à la fin du mois. On m'avait proposé le poste de directrice de clientèle pour un grand magasin parisien. Habituée au management d'Elisabeth, cette expérience me semblait une bonne opportunité pour m'imprégner d'un autre univers, plongée dans l'ambiance d'une agence de publicité non seulement française, mais très parisienne. Le premier jour, un des directeurs me prend à part pour m'informer sur le client que nous rencontrions le lendemain. Il se lance: «Euh, comment te dire, tu sais, demain, tu vas rencontrer la direction de notre client le plus important de l'agence.» Toute contente, je lui fais un sourire : «Oui, j'en suis ravie!» Un peu gêné, il continue : «Bah justement, pour être sûr que cela se passe bien, est-ce que tu peux éviter d'avoir une apparence trop "rive droite"? Enfin, ne prends pas mal ce que je dis, mais tu sais, les gens de la rive gauche sont plus à l'aise avec un style très discret et sobre.» La question de mon «appartenance de rive» ne m'était jamais venue à l'esprit, j'essaie donc de mieux comprendre où il veut en venir : «Si je saisis bien, tu as donc peur que mon apparence puisse déranger le client au point que ça pourrait mal se passer?» Sans réponse de sa part, je continue : «Ecoute, je suis danoise, donc par définition ni rive droite, ni rive gauche, au mieux je peux être de l'île Saint-Louis pour te faire plaisir vu qu'elle est en plein milieu, mais je crois que je suis prête à prendre le risque de ne pas plaire physiquement car si c'est le cas, il vaut mieux arrêter avant de commencer!» Finalement, personne n'a été offusqué par mon allure «rive droite», et cette période m'a appris beaucoup de choses sur la créativité, les relations humaines et mes propres limites. J'ai aussi réalisé que ce n'était pas ce chemin professionnel que je devais prendre pour mon propre épanouissement.

J'ai décidé alors d'en parler avec quelques amis pour avoir leur conseil : « Vous savez, je ne suis vraiment pas heureuse dans mon travail, ce métier ne me correspond pas, je crois qu'il faut que j'en change. » Mes amis, à l'unanimité, m'ont répondu : « Oui Malene, tu as raison, il vaut mieux changer si tu n'es pas bien, la vie est trop courte. » Contente de leur soutien, j'ai dit : « Je sais, je vais le faire, mais ça va être dur de trouver le temps pendant que je travaille, mais je n'ai pas le choix car il faut bien que je paie mon loyer. » Ils m'ont regardée, étonnés : « Mais non, qu'est-ce que tu racontes, tu négocies ton départ, tu te mets au chômage et puis tu prends ton temps pour réfléchir. » Je vois évidemment bien l'idée, sauf qu'il me paraît absurde de négocier mon départ alors même que c'est moi qui ai fait le choix de partir, comme il me semble absurde de profiter du chômage pour « réfléchir » à ma vie pendant que les autres travaillent pour financer ma période de réflexion.

Il existe un terme qui traduit bien cet état d'esprit qui mêle générosité et responsabilisation : la fameuse « flexisécurité ». Certes, les indemnisations chômage au Danemark sont assez importantes, mais elles sont combinées à des politiques très développées d'aide aux demandeurs d'emploi, et aussi une faible protection de l'emploi. Cela veut dire qu'il est légalement plus facile et moins coûteux de se séparer d'un employé au Danemark que dans de nombreux pays européens, mais qu'il est également plus facile de retrouver rapidement un nouvel emploi, et d'être bien soutenu et accompagné pendant cette période de transition, qui est plus courte. En 2012, d'après les derniers chiffres de l'OCDE, on compte au Danemark «seulement» 28 % de chômeurs longue durée (c'est-à-dire depuis plus d'un an). On peut faire encore mieux, d'autres pays sont loin devant nous (8 % en Norvège et 17,5 % en Suède, qui ont aussi des systèmes de flexisécurité, ou encore 20 % en Australie et 13 % en Nouvelle-Zélande), d'autres malheureusement atteignent des chiffres bien plus elevés (30 % de chômeurs de longue durée aux Etats-Unis, 35 % au Royaume-Uni, 39 % au Japon, 40 % en France, 45 % en Espagne, 47 % en Allemagne, et 53 % en Italie)[1].

Les impôts sont également utilisés pour financer une couverture médicale complètement

---

1. OCDE 2013, profil statistique pays, mise à jour 15 novembre 2013.

gratuite pour l'ensemble de la population. Cet aspect, essentiel, donne évidemment un grand sentiment de sécurité. Une bonne santé ne nous rend pas forcément plus heureux au quotidien, car les gens ont tendance à s'habituer à se réveiller « en forme ». C'est d'ailleurs la raison pour laquelle on dit souvent des personnes qui ont été malades qu'elles apprécient encore plus la vie. Elles ne prennent plus la bonne santé comme un acquis.

La solidarité s'exprime aussi dans la tolérance et l'ouverture d'esprit vis-à-vis de toute minorité dans la société. Ainsi le Danemark a été le premier pays au monde en 1989 à accorder aux couples homosexuels le droit d'une « union officielle enregistrée ». En 2010, le droit d'adoption pour les couples en « union enregistrée » a été voté. L'Eglise protestante danoise donne aussi la liberté aux prêtres de proposer une cérémonie religieuse aux couples homosexuels. La population danoise est, dans sa grande majorité, favorable à cela. Selon une étude de Capacent Research pour *Kristeligt Dagblad*, un journal chrétien de référence au Danemark, 63 % des Danois soutiennent ces mesures, et seulement 25 % sont « contre ». En 2012, une nouvelle loi est votée qui rend tout simplement le mariage neutre du point de vue des sexes.

Concernant l'immigration au Danemark, le débat est plus complexe. Les «nouveaux Danois» (*ny dansker*) représentent aujourd'hui environ 10% de la population danoise. Et leur intégration reste un sujet difficile. Le parti d'extrême droite (Dansk Folkeparti) a obtenu 12,3% des voix aux dernières élections législatives. Pourtant, les Danois sont plutôt connus pour leur tolérance vis-à-vis des minorités... Alors, comment expliquer cela? Selon le professeur Christian Bjørnskov, cette perception négative des immigrés est essentiellement due à l'image projetée dans les médias de «nouveaux Danois» qui abuseraient du système social. C'est vrai que les immigrés se trouvent plus souvent dans des situations précaires: selon une étude de 2010 réalisée par «Arbejderbevægelsens Erhvervsråd (AE)», un «nouveau Danois» sur six est au chômage, contre un sur dix-huit pour le reste de la population. Ce qui ne signifie pas statistiquement qu'ils profitent davantage du système. L'extrême droite nourrit très régulièrement le débat avec des exemples négatifs relayés par la presse, sur le mode «il faut aider les gens là où ils sont au lieu de les faire venir au Danemark».

Et la tolérance des Danois s'éteint dans la peur d'une mise en péril du projet commun et de l'Etat-providence. La confiance entre les gens et envers les institutions est très forte, on l'a vu ; cela rend les tricheries ou les abus intolérables, que ce soit de la part des «nouveaux Danois» ou du reste de la population.

Du feu rouge aux urnes

Au-delà de la solidarité entre les gens, les Danois se sentent donc véritablement responsables d'un projet commun. Pour que ce projet fonctionne, il est primordial de respecter les règles et de faire preuve d'un certain civisme en société.

Mois de novembre 1997, 3 heures du matin. J'étudie à Copenhague et je rentre à pied après une petite soirée entre amis. Il fait très froid et de surcroît il pleut. J'ai oublié mon parapluie et je suis trempée. A chaque feu rouge, je m'arrête, même s'il n'y a pas un chat dans les rues, et j'attends que le bonhomme passe au vert. Au dernier feu, je croise un étranger. Il me regarde avec un air interloqué, mouillée et gelée, en train d'attendre sagement : «Mais enfin, pourquoi vous ne traversez pas ? Il n'y a absolument aucune voiture qui passe là depuis une heure ? ! »

Mais mon attitude est typiquement danoise : vous ne verrez quasiment jamais un Danois traverser la rue quand le feu est rouge. Cela serait si mal vu que quelqu'un se chargerait de lui en faire la remarque. Sans compter le risque des 500 couronnes (70 euros) d'amende. Même sort si quelqu'un se risquait à jeter un emballage vide dans la nature ou dans la rue. Ces principes sont tellement ancrés dans la culture que même au bout de dix-neuf ans en France, j'ai toujours du mal à traverser quand les feux piétons sont au rouge. Je le fais quand même, mais à chaque fois j'en suis consciente. Mes amies en rigolent et je les comprends. Elles, depuis qu'elles sont petites, elles regardent, et s'il n'y a pas de voitures, eh bien elles traversent !

Encore une fois, ce qui compte au Danemark, c'est que cette exigence individuelle reflète une exigence collective. C'est sans doute pour cela que la participation électorale atteint des sommets : elle s'est élevée à 88 % lors des dernières élections, soit un taux plus élevé que la moyenne des pays de l'OCDE, à 72 % (environ 81 % pour le second tour de la présidentielle de 2012 en

France[1]). 90 % des 20 % les plus aisés votent, et 86 % parmi les 20 % les plus modestes. Cette différence (4 points) est moins large que l'écart moyen au sein de l'OCDE (12 points d'écart entre les plus riches et les plus modestes pour la participation électorale)[2] : au Danemark, tout le monde ou presque assume son devoir de citoyen. Parce que chez nous, le bonheur ne vaut que s'il est partagé par tous.

---

1. http://lci.tf1.fr/politique/elections-presidentielles/71-96-de-participation-a-17h-legerement-superieur-au-premier-7223518. html

2. http://www.oecdbetterlifeindex.org/fr/countries/danemark-fr/

7

Je veux plein de moments de «hygge»
(l'équilibre famille/travail)

La famille et les loisirs ont une place importante
dans la vie des Danois. Ils quittent leur bureau vers
17 heures et s'adaptent au programme des enfants.

En 2010, le Premier ministre Lars Løkke Rasmussen se trouve pris dans une polémique médiatique terrible: il a annulé une réunion avec 80 diplomates internationaux pour des raisons personnelles. La rumeur s'enflamme. On dit qu'il est resté à la maison pour s'occuper de sa fille, qui s'est tordu la cheville. Le débat devient tellement pénible que Lars Løkke Rasmussen doit organiser une conférence de presse. Il dément l'histoire, mais explique très clairement que s'il prend très au sérieux sa fonction de Premier ministre, ce rôle reste passager dans sa vie, contrairement à son rôle de père. Quelques mois plus tard, il part en vacances avec sa femme et ses deux enfants hors vacances scolaires pour profiter d'un moment en famille.

Au Danemark, les gens valorisent énormément l'équilibre entre le travail et la famille, au point que l'aventure de Lars Løkke Rasmussen a finalement eu une influence positive sur sa relation avec ses électeurs. Les Danois trouvent sympathique que l'homme qui dirige leur pays soit aussi un homme qui donne la priorité à sa famille. Ils l'ont jugé sincère dans son discours et se reconnaissent dans ses valeurs.

(Bon)heures supplémentaires

Selon les dernières études de l'OCDE[1], le Danemark est le pays qui a réussi à instaurer le meilleur équilibre entre travail et vie privée. En moyenne, les Danois passent 31 % de leur journée sur leur lieu de travail. Cela représente un peu moins de 8 heures, alors que la moyenne parmi les pays de l'OCDE est de 9 heures. La France arrive en 14e place, la Grande-Bretagne en 23e, les Etats-Unis en 29e et la Turquie, le Mexique et le Japon derniers. Seulement 2 % des salariés au Danemark ont des journées de travail considérées comme plus longues que la normale, alors que la moyenne observée pour l'OCDE est à 9 %.

Le système social et professionnel danois est pensé pour favoriser cet équilibre. Ainsi, comme

---

1. OCDE Better Life Index, http://www.oecdbetterli-feindex.org/fr/topics/equilibre-travail-vie/

dans d'autres pays européens, les Danois disposent de cinq semaines de vacances annuelles. Mais si par exemple un enfant tombe malade, ils en ont plus : les parents peuvent rester auprès du petit le premier jour sans que cette absence soit comptée comme un jour de congé.

L'équilibre entre le travail et le loisir se retrouve dans la flexibilité des horaires de travail. Un Danois sur quatre estime pouvoir adapter librement son travail de manière à avoir une vie équilibrée. Une part importante de la population active (17 %) fait même une partie de son travail à la maison pour mieux s'occuper des enfants et de la famille [1]. Le degré de compréhension des entreprises sur ce point est très avancé, et cela ne choque personne si un parent part à 16 heures pour aller chercher ses enfants à la crèche.

Mes meilleures amies danoises qui ont des enfants ont toutes adopté ce système pour pouvoir profiter des premières années déterminantes de leurs petits. Elles ont négocié des horaires qui leur permettent de rentrer tôt s'occuper de leur famille et passer du temps avec elle. Une de mes amies qui vient de divorcer emmène même ses enfants au bureau après la

---

1. Source : Danmark 's Statistik, 2013.

crèche pour tranquillement finir sa journée au travail. Même si ce n'est sûrement pas si «tranquillement» que cela j'imagine, avec une fille de 4 ans et un garçon de 2 ans dans un bureau. Et bien sûr, les pères participent aussi : souvent, ce sont eux qui quittent le bureau tôt pour aller chercher les enfants à 17 heures.

Peut-être êtes-vous en train de vous dire : «Ok, c'est bien joli, mais comment font les personnes ayant des postes à responsabilités, qui exigent une plus grande présence au travail?» Eh bien justement : l'organisation «Lederne», un syndicat non politique dédié aux personnes occupant des postes à responsabilités, a réalisé une étude[1] parmi 1 585 de ses 100 000 membres sur l'équilibre entre vie privée et travail. Résultat? Bien sûr, sans surprise, le niveau de responsabilités impacte la maîtrise de cet équilibre : six cadres sur dix avouent que leur charge de travail les oblige parfois à travailler le soir et le week-end chez eux. Mais cela étant dit, trois sur quatre gardent l'impression d'avoir prise sur l'organisation de leur journée de travail, et huit sur dix disent se sentir libres d'organiser des visites chez le médecin ou le dentiste dans la journée. 50% ont même la liberté de pouvoir

---

1. Etude Lederne, octobre 2012.

régler leurs affaires privées pendant le temps de travail. Au total, 85 % des sondés expriment être satisfaits ou très satisfaits de leurs conditions de travail, et deux tiers sont satisfaits de l'équilibre entre la vie privée et le travail. Une personne sur dix seulement déclare être très insatisfaite en ce domaine. Parmi le tiers qui ne sont pas satisfaits de l'équilibre, plus de la moitié disent réfléchir à changer de travail afin de trouver un meilleur compromis.

Ramer... ou pédaler !

Même si nous sommes apparemment plus avancés sur ce plan que beaucoup d'autres pays dans le monde, il existe bien évidemment des familles qui subissent le stress d'un parent et qui ne parviennent donc pas à concilier tous les aspects de leur vie. Mais ce que confirme le sondage que nous venons d'évoquer, c'est que les Danois sont très conscients de l'importance de cet enjeu, et que s'ils considèrent que la situation ne leur convient pas, ils se sentent libres d'en changer.

L'équilibre entre temps de travail et temps pour soi, c'est aussi une question d'organisation pratique. Les experts observent par exemple que le temps passé dans les transports entre le travail et la maison est un facteur important. Là aussi, les Danois se positionnent parmi les meilleurs, avec 27 minutes de transport par jour en moyenne, contre 38 minutes pour les pays de l'OCDE[1]. Et comme le moyen de transport préféré est le vélo, la flexibilité est encore plus grande : pas de bouchons ni de problèmes pour se garer. Les Danois entre 10 et 84 ans font en moyenne du vélo 0,47 fois par jour (c'est-à-dire en gros qu'ils en font un jour sur deux), et 46 % l'utilisent comme principal moyen de transport pour aller travailler, se rendre à l'école ou à l'université[2]. A Copenhague c'est encore plus marquant, 50 % de la population utilise le vélo quelle que soit l'occasion. Quand j'y suis et que je sors avec mes amies, elles arrivent toutes en petite robe et talons... à vélo. Y compris au mois de décembre et quand il pleut! Il est aussi important de souligner que le choix du vélo n'est pas une question de moyens financiers, car ce sont les gens de tous milieux qui font du vélo. Même les politiques pédalent : 63 % des députés danois viennent travailler à

---

1. OCDE, «How's life? Measuring well being», 2011.
2. Rapport DTU Transport (institut du transport danois), 2012.

«Christianborg» (le château qui est le siège de notre Parlement) à vélo[1].

Du sweet home...

Alors que font les Danois avec tout ce temps libre?

Vers 16-17 heures, c'est l'heure de pointe au Danemark: les gens quittent leur travail, soit pour aller chercher les enfants, soit pour simplement faire ce qui leur fait plaisir dans la vie. La famille et les loisirs en général ont une grande importance chez les Danois. Le dîner est servi vers 18 heures et toute la famille dîne ensemble, contrairement à d'autres cultures où les enfants mangent d'abord et les parents plus tard, ou chacun de son côté.

Un de mes mots préférés en danois est «hygge». C'est un concept assez difficile à expliquer, car l'équivalent ne se trouve pas vraiment dans les langues étrangères. C'est, dans son essence, quelque chose d'intime et de chaleureux. Le mot est utilisé par les Danois dans beaucoup de situations, et toujours dans un sens très positif. «Hygge» peut aussi désigner

---

1. Source: Denmark.dk.

des situations où l'on se retrouve avec sa famille ou ses amis proches pour dîner ou partager quelques bières dans une ambiance chaleureuse avec des bougies. Le mois de décembre est le mois le plus «hyggelig» chez nous : tout le pays est illuminé par des millions de bougies et les gens se réunissent pour boire du vin chaud et écouter des chansons de Noël. C'est assez féerique. Les bougies font d'ailleurs quasiment toujours partie des moments de «hygge».

Le terme «hygge» a une telle importance dans notre culture qu'il y a même un chercheur en anthropologie sociale de l'université de Southern Denmark, nommé Jeppe Trolle Linnet, qui s'est spécialisé dans l'étude de ce phénomène exclusivement. Il explique que le «hygge», c'est quelque chose que tous les Danois partagent ensemble, une sorte d'expression de notre unité. Il constate toutefois que selon le milieu social son contexte peut varier, mais que, où que l'on soit, il inclut le plus souvent à manger et à boire. L'universitaire a aussi fait une observation peut-être étonnante pour un non-Danois : la majorité des Danois ont du mal à ressentir l'esprit «hygge» si l'environnement ou l'ambiance sont trop luxueux[1]. On retrouve là des valeurs que l'on a déjà

---

1. Jeppe Trolle Linnet, in *Politiken*, 10 novembre 2013.

évoquées, à savoir une certaine modestie et une réserve vis-à-vis du luxe et de l'ostentation. Le «hygge» doit être simple et accessible à tous. Si vous voulez faire du «hygge» à la danoise, pas la peine d'acheter du champagne et du caviar, au cas où quelqu'un aurait eu cette idée.

C'est d'ailleurs un peu le principe du fameux design scandinave qui a beaucoup fait parler de lui dans le monde, et auquel des designers danois comme Arne Jacobsen ou Verner Panton ont contribué : un «chez-soi» accueillant, confortable, beau, mais pas forcément luxueux. Juste une beauté simple, pour se sentir bien, avec des matériaux naturels, des lignes épurées et pratiques. Bien sûr, tout le monde ne peut pas vivre dans du mobilier de grand designer (c'est l'idée de la fameuse enseigne d'origine suédoise Ikea de mettre ce confort à la portée de plus de gens), mais ce sens d'un intérieur beau, fonctionnel, bon pour le moral et la convivialité, fait bien partie du «hygge».

Dans mon enfance, ma mère nous faisait un feu de cheminée et allumait beaucoup de bougies tous les soirs dans la maison. Après le dîner, c'était nos moments de «hygge». On regardait des films ou on jouait à des jeux de société. J'ai eu la chance d'avoir une enfance remplie d'amour, avec beaucoup de moments de «hygge».

Mais attention, même avec du «hygge», même avec du temps pour soi et pour les siens, tout ne va pas toujours pour le mieux dans le meilleur des mondes. Le temps libre ou les moments de loisir au Danemark peuvent aussi déraper vers des situations qui n'ont rien du bonheur parfait. Comme l'abus d'alcool par exemple. Car on ne peut pas passer ce point sous silence : la consommation d'alcool est une vraie question posée au «bonheur danois».

Je me rappelle une fête de lycée, j'étais toute jeune, 16 ans peut-être. C'était horrible parce qu'il fallait être costumé et je détestais ça. Toujours est-il que cette fête d'école, même sous la surveillance des professeurs (pour ne pas dire avec leur bénédiction), s'est transformée en une grande partie de boissons, alcoolisées bien sûr. Ce n'est vraiment pas très glorieux, mais je n'avais pas l'habitude ni le physique pour ça, et du coup à la fin de la soirée je ne tenais plus debout. Je n'arrivais même pas à rentrer chez moi après la fête : un taxi s'est alors arrêté et m'a gentiment proposé de m'emmener... à l'hôpital : eh oui, les services des hôpitaux au Danemark connaissent bien les jeunes gens dans cet état.

Mais j'avais tellement honte, en imaginant mes parents apprendre ça et venir me chercher là-bas, que j'ai supplié mes copines de me faire sortir de là. Et elles m'ont effectivement «enlevée» de l'hôpital en se mettant à quatre pour me porter. Ce n'est clairement pas un épisode brillant de ma jeunesse à Århus. Mais pour moi, l'aventure ne s'est pas mal finie. Juste un gros mal de tête le lendemain.

Il existe d'ailleurs une tradition chez les jeunes qui consiste à se réunir à la maison avant de sortir au bar ou en boîte de nuit pour faire ce que l'on appelle du «préchauffement» (*opvarmning*). L'idée c'est de boire un maximum d'alcool avant de sortir, de manière à être déjà bien arrosé en partant. Même si j'ai passé des soirées très amusantes, je ne suis pas si sûre que cette tradition soit très saine pour les jeunes Danois!

Bien sûr, ceux-ci ne sont pas les seuls à boire: en Europe, dans la plupart des pays, plus de 80% des adolescents déclarent «avoir consommé au moins une boisson alcoolisée au cours de l'année», et l'usage régulier d'alcool chez les jeunes (c'est-à-dire dix fois ou plus dans le mois) varie entre 25% aux Pays-Bas et 3% en Finlande (autour de 20% en Autriche ou à Malte, de 15% en Irlande, en Angleterre ou au Danemark, de 7% pour les jeunes Français, les Portugais ou les Bulgares, moins de 5% en Turquie, en Norvège ou en Suède) ; la proportion d'élèves âgés de 16 ans déclarant avoir été ivres au moins une fois au cours des douze derniers mois est de 53% en moyenne[1]... Aux Etats-Unis, alors qu'ils ne sont pas autorisés à boire avant 21 ans, une étude du *Journal of American Medical Association*[2] montre que 20% des lycéens des classes terminales boivent avec excès toutes les deux semaines. En Russie, selon un sondage récent, 80% des jeunes Russes consomment des boissons alcoolisées[3]. Cela n'empêche qu'au Danemark, la consommation d'alcool chez les adolescents est préoccupante : concernant l'ivresse, le Danemark est au premier rang européen avec 85% de jeunes déclarant avoir déjà été ivres au cours de leur vie[4].

On ne peut pas établir de raccourci simpliste entre consommation d'alcool et niveau de

---

1. Etude Espad, « European School Survey Project on Alcohol and Other Drugs », OFDT, http://www.ofdt.fr/BDD/publications/docs/SH383p43-46.pdf
2. http://etudiant.lefigaro.fr/vie-etudiante/news/detail/article/etats-unis-un-lyceen-sur-cinq-se-saoule-tous-les-15-jours-2796/
3. http://fr.ria.ru/russia/20101006/187570014.html
4. INPES, 2008 ; http://www.inpes.sante.fr/slh/articles/398/02.htm

bonheur. Consommer trop d'alcool peut traduire un mal-être, mais pas seulement. L'alcool fait aussi partie d'un fait culturel, une tradition de société, pas seulement au Danemark, mais aussi en France, au Royaume-Uni... Oui, au Danemark, l'alcool a une place importante dans les moments collectifs et fait partie des traditions. Quand quelqu'un refuse «un petit verre», ce n'est pas toujours bien vu, car dans l'esprit des gens c'est le refus d'une certaine convivialité.

Mais ce n'est pas une question de morale, et on ne peut pas démêler des sujets si complexes sur le pourquoi de l'alcool en quelques lignes.

La liberté de concilier carrière et «vie pour soi», en famille, entre amis, est clairement une clé essentielle du bonheur danois, mais les joies du «hygge» sont parfois à consommer... avec modération.

... au Home Land

Etre ensemble, au Danemark, ce n'est pas juste dans le cercle privé de la famille ou des amis. C'est une question de société beaucoup plus vaste. Le sentiment d'appartenance à une «grande maison» où s'exprime le «hygge» se retrouve dans l'amour des Danois pour leur pays, ses symboles, ses valeurs. Les gens ont une grande affection par exemple pour «Dannebro», notre drapeau. Non seulement c'est le symbole du pays, mais aussi celui de toutes nos fêtes et célébrations. Lors des fêtes d'anniversaire, le drapeau danois est omniprésent. Une carte d'anniversaire sans un beau dessin du drapeau, ce n'est pas une vraie carte d'anniversaire. Aussi, dans la grande majorité des jardins danois trouve-t-on le drapeau qui flotte en haut de son mât à la moindre occasion. Même à Noël, le sapin est décoré avec des petits drapeaux. Pour bien visualiser cela, je tiens à ajouter que les Danois (sûrement les seuls au monde à faire cela) dansent main dans la main autour du sapin en chantant des chansons de Noël.

D'ailleurs, à propos de Noël, devinez quel est le cadeau le plus populaire sous le sapin? La réponse laisse souvent les gens assez étonnés: le slip. Oui, en effet, le slip, avec probablement les chaussettes, sont des cadeaux très fréquents entre membres de la famille et entre amis! J'ai d'ailleurs entrepris un petit sondage auprès de mes amis danois. Le retour était très parlant. Ils reconnaissent tous parfaitement ce phénomène et avouent volontiers que les slips et les chaussettes sont effectivement des grands classiques. Une de mes ravissantes amies m'a aussi fait mention d'autres cadeaux intéressants, comme le balai qu'elle a offert à son mari. Ou celui de sa belle-mère, qui a offert un autre grand classique à son père : le coupe-poils de nez. Chaque année à Noël cet objet (pourtant pas forcement évident à offrir) se retrouve sous de nombreux sapins. L'éplucheur de pommes de terre ou le presse-ail figurent également parmi les tops. L'année de mes quinze ans, je faisais les courses de Noël avec mon père. Les cadeaux, disons d'une certaine banalité, nous faisaient beaucoup rire, et nous avons donc décidé d'aller au bout du concept : slip à motif pour mon grand-père, grosse culotte en laine pour ma tante, crème contre l'odeur des pieds à mon cousin, 1,5 litre d'eau de Cologne odeur sapin à mon oncle, produit contre la mauvaise haleine à ma cousine... enfin, vous voyez l'idée. Eh bien, contre toute attente, ces cadeaux ont eu un grand succès : comme disait mon oncle, «c'est formidable, que des trucs utiles» !

Evidemment, chaque pays a ses traditions et fêtes qui réunissent le peuple, et le Danemark est loin d'être unique sur ce point. Mais ce qui est sûr, c'est que les Danois passent davantage de temps ensemble. 60 % des Européens passent du temps avec leur famille, leurs amis et leurs relations sociales au moins une fois par semaine. Ce chiffre est de 78 % pour les Danois [1].

Ce sens généralisé de la famille s'exprime également dans l'affection que portent les Danois à leur famille royale. Eh oui : même si cela peut sembler surprenant dans un pays aussi égalitaire que le Danemark, la famille royale est très aimée par le peuple. Les souverains incarnent l'unité du pays. D'ailleurs, les Danois soutiennent massivement la monarchie : 77 % d'entre eux y sont attachés, contre seulement 16 % qui lui préféreraient une république. C'est beaucoup plus que dans les autres monarchies européennes, où la tendance moyenne se situe autour de 58 % [2].

Les Danois adorent aussi se réunir dans des associations. La légende veut que si trois Danois se trouvent dans une même pièce, ils créent une association. Même si ce n'est peut-être pas tout à fait vrai, les Danois ont quand même réussi à fonder plus de 100 000 associations de volontariat et organisations de tous genres, et estime que la valeur du secteur de bénévolat

---

1. Etude European Social Survey, 2010.
2. Etude Megafon pour le journal danois *Politiken*, décembre 2011.

est de 135 milliards de couronnes par an, à peu près 10 % du BNP danois [1]. Le Danemark est d'ailleurs le pays européen qui consacre le plus de temps au bénévolat [2], devant la Finlande, la Suède, l'Autriche et les Pays-Bas. Mais il y a bien sûr d'autres champions du bénévolat dans le monde, notamment les Etats-Unis qui sont très reconnus pour cela : d'après les statistiques du gouvernement fédéral, sur une année, près d'un cinquième de la population américaine, soit plus de 62 millions de personnes, font du bénévolat et consacrent plus de huit milliards d'heures de services, dont le montant est évalué à 173 milliards de dollars [3].

Je me souviens que mon père était très actif dans un grand nombre d'associations sportives quand j'étais petite. C'était un grand passionné de tous genres de sports. Il a même joué 25 matchs pour l'équipe nationale de handball et marqué 34 buts. Je dirais qu'il a consacré pas loin de 25 % de son temps au bénévolat, surtout dans le monde sportif. Ma mère aussi était

---

1. « Etude sur le secteur du bénévolat au Danemark », SFI, Det Nationale Forsknings center for velfaerd, 2006.

2. European Quality of life survey (participation in volunteering and unpaid work), 2011.

3. Agence fédérale Corporation of National and Community Service, « United We serve », 2010.

membre de nombreuses associations lorsqu'elle était plus jeune. Elle a été, comme mon père, scoute pendant plusieurs années et a même participé à fonder une association pour le bowling. Et pour la petite histoire, mes parents se sont justement rencontrés lors d'une soirée organisée par l'association de handball de Århus. Sans associations, je ne serais donc pas là pour vous parler du bonheur danois.

De mon côté, comme je suis partie de mon pays à 18 ans, je ne peux pas revendiquer un effort impressionnant dans ce domaine... à part les années où je jouais des mélodies de Noël à la flûte déguisée en lutin dans des maisons de retraite pour les fêtes. Je ne suis vraiment pas sûre de la qualité de ces performances, mais comme beaucoup de gens du public étaient sourds, cela se passait très bien quand même.

Quoi qu'il en soit, pouvoir consacrer du temps aux siens, ou à des projets de société auxquels on croit, voilà qui me semble un point essentiel du bonheur à la danoise.

8

J'ai besoin de quoi de plus ?
(la relation avec l'argent)

Les Danois, en règle générale, sont assez détachés vis-à-vis de l'argent, l'objectif premier pour la majorité d'entre eux n'est pas d'être riche.

Il était une fois un homme d'affaires assis sur la plage d'un petit village brésilien.

Il voit un pêcheur ramener son bateau vers le rivage, chargé d'une bonne quantité de gros poissons.

L'homme d'affaires, impressionné, demande au pêcheur : « Combien de temps vous faut-il pour attraper autant de poissons ?

— Oh, très peu de temps, répond le pêcheur.

— Alors, pourquoi ne restez-vous pas plus longtemps en mer afin d'en attraper encore plus ? l'interroge l'homme d'affaires, surpris.

— C'est assez pour alimenter ma famille entière », explique tranquillement le pêcheur.

L'homme d'affaires poursuit : « Mais, que faites-vous le restant de la journée ?

— Eh bien, fait le pêcheur, je me réveille tôt le matin, je pars pour aller en mer attraper quelques poissons, pour ensuite rentrer et jouer avec mes enfants. L'après-midi, je fais une sieste avec ma femme, et lorsque se profile le soir, je rejoins mes copains dans le village pour boire un coup – nous jouons de la guitare, nous chantons et dansons toute la nuit.»

L'homme d'affaires écoute, réfléchit, puis fait une suggestion au pêcheur : «J'ai un MBA en direction des affaires. Je pourrais vous aider à devenir une personne bien plus riche. Pour ce faire, il vous faudrait passer plus de temps en mer et essayer d'attraper autant de poissons que possible. Quand vous aurez économisé assez d'argent, vous pourrez acheter un bateau plus grand et attraper encore plus de poissons. Cela vous permettra donc d'acheter plus de bateaux, de fonder votre propre société et votre propre usine de production pour un réseau de distribution. Durant ce temps, vous aurez quitté ce village pour aller vous installer à São Paulo, où vous pourrez fonder votre QG afin de gérer vos autres branches.»

Le pêcheur hoche la tête : «Et après cela ?»

L'homme d'affaires se met à rire : «Après cela, vous pourrez vivre comme un roi dans votre propre maison et au moment propice, vous vous serez rendu célèbre, ce qui vous permettra de vous lancer dans des opérations boursières, et ainsi vous deviendrez très riche.»

Le pêcheur demande encore : «Et après cela?»

L'homme d'affaires poursuit : «Après cela? Eh bien vous pourrez finalement prendre votre retraite, déménager et acheter une petite maison dans un village de pêcheurs, vous réveiller tôt le matin, attraper quelques poissons, rentrer ensuite à la maison pour jouer avec vos enfants, avoir une sieste agréable avec votre femme et quand la soirée viendra, vous pourrez retrouver vos copains pour boire un coup, jouer de la guitare, chanter et danser toute la nuit!»

Alors, le pêcheur, perplexe, lui répond : «Mais... n'est-ce donc pas exactement ce que je fais maintenant?»

Sans blé, ou sans gluten?

J'aime cette histoire, qui illustre bien, à sa façon, la mentalité danoise : les Danois, en règle générale, sont assez détachés vis-à-vis de l'argent. Peut-être, on l'a vu, parce qu'un bon moment de «hygge» les rend plus heureux qu'un gros salaire. Peut-être aussi parce qu'ils savent que l'Etat-providence est là pour assurer les services fondamentaux et qu'ils ne risquent pas de manquer de l'essentiel. Toujours est-il que l'objectif premier pour la majorité des Danois n'est pas d'être riche.

Quand je suis retournée dans mon ancienne école à Århus pour discuter avec les élèves de 9ᵉ classe de Skaade Skole, nous avons aussi évoqué cette notion de l'argent. Ils viennent majoritairement d'un milieu favorisé. Je voulais avoir leur avis sur le sujet. Parmi tous les élèves, une seule accordait une certaine importance au fait de gagner beaucoup d'argent. Elle précisait toutefois qu'elle voulait gagner beaucoup d'argent, mais en faisant un métier qu'elle aime. Les autres à l'unanimité préféraient d'abord trouver un métier qui ait du sens et leur apporte du plaisir. Bien sûr, on peut se dire que si on pose la question comme je l'ai posée, personne ne va avoir le courage de vraiment répondre : «Non, non, moi je veux juste être riche au détriment de mon bonheur.» Cela étant dit, quand j'entends les Danois et que je les regarde, ils ne me donnent vraiment pas l'impression d'être dans la course infernale à l'argent. D'une certaine manière, ils considèrent être déjà riches, ou en tout cas être privilégiés par leur système social. Et, on l'a vu, ils ont d'autres priorités : l'équilibre entre travail et famille, la solidarité, l'épanouissement personnel...

Les jeunes que j'ai interrogés se retrouveraient sûrement dans une petite vidéo qui circule avec beaucoup de succès sur le Net, inspirée des idées du philosophe et écrivain anglais Alan Watts. Alan Watts a beaucoup travaillé sur la recherche du bonheur, en s'inspirant des enseignements spirituels de l'Orient et de l'Occident. La vidéo en question, « Et si l'argent n'avait pas d'importance ?[1] », reprend ses principales conclusions sur le sujet. Le message de Watts est clair : trouvez au fond de vous ce que vous aimez faire, suivez cette vocation, peu importe la perspective de devenir riche, car tout autre chemin mène vers une vie pauvre. Pourquoi passer sa vie à gagner de l'argent, à exercer une activité que vous n'aimez pas pour maintenir et continuer une vie qui, dans l'essence, est remplie de choses que vous n'aimez pas faire ? Le plus important pour être heureux c'est de trouver sa passion et d'avoir le courage de suivre ce chemin.

Justement, lors de ma période de grande réflexion sur ma carrière, à l'époque où je travaillais dans l'agence de publicité, je voulais revenir à l'essentiel. Je voulais trouver ma vraie passion pour être fidèle à moi-même et

---

1. Alan Watts, « What if money didn't matter ? »

être heureuse le matin en allant travailler. Je me posais une foule de questions. Je repensais à mon rêve d'enfance : l'hôtellerie. Je savais très bien que dans le système français, ce n'était pas évident de changer de métier. Mais je me disais que je n'avais pas le choix, car souvent le plus grand risque c'est justement de ne pas en prendre. Je commençais à contacter des beaux palaces de Paris. Un jour j'ai été reçue par une femme absolument formidable dans un superbe hôtel place de la Concorde. Séduite par sa personnalité, je voulais à tout prix travailler pour elle. Je suis allée jusqu'à lui proposer de baisser mon salaire de 40 % pour pouvoir poursuivre mon rêve. Malgré un bon feeling, elle a refusé cette proposition. Elle m'a dit : « Je vous aime beaucoup, mais vous savez, la question de l'argent finit toujours par nous influencer et vous allez m'en vouloir au bout de six mois quand vous serez encore au bureau à 20 heures, qu'il pleuvra et que vous n'aurez ni les moyens de prendre un taxi ni d'aller au restaurant comme avant. » Je n'étais pas d'accord, même si je pense que sa théorie était fortement fondée sur sa riche expérience, et la mienne peut-être sur mon manque d'expérience. En tout cas, mon envie ne me quittait pas, peu importe les perspectives de rémunération. A l'été 2005, j'ai fini par être embauchée comme directrice de la communication de Relais & Châteaux, une chaîne d'hôtels de charme reconnue dans le monde entier.

Cela rejoint ce qu'on a déjà abordé au sujet de l'autonomie : le bonheur danois se nourrit d'abord de la capacité à exprimer pleinement ce que l'on est. Ce n'est pas un hasard si on retrouve cette idée chez l'un de nos plus célèbres penseurs, Søren Kierkegaard. Kierkegaard a vécu au XIXᵉ siècle à Copenhague. Sa pensée est très riche et complexe, mais présente un fil rouge : comment devenir humain, comment devenir soi-même ? « Le devoir de l'individu, écrit-il, est d'obéir à sa propre vocation [1]. » « Il s'agit de comprendre ma destination, de trouver une vérité qui soit vérité pour moi, de trouver l'idée pour laquelle je veux vivre et mourir [2]. » Dans ce sens, beaucoup de Danois, sans forcément le savoir, « font » du Kierkegaard au quotidien : ils accordent plus d'importance à trouver leur voie qu'à cultiver leur portefeuille.

Mon frère Jesper est un bon exemple de personne ayant suivi cette philosophie. Pendant la

1. Søren Kierkegaard, *Miettes philosophiques*, 1944.
2. Søren Kierkegaard, *Journal*, août 1835.

première année de ses études à la Copenhagen Business School en «International Marketing and Management», il a été engagé dans un des meilleurs bureaux de Web design du Danemark. C'était un job parallèle à ses études, avec la perspective de gagner beaucoup d'argent et d'avoir une très belle carrière. En 1999, c'était la voie à suivre pour avoir du «succès» dans la vie. Il est resté six mois dans cette société. Il n'était pas heureux à ce poste, car il ne trouvait pas de sens à son quotidien.

Mon frère aime créer, c'est un entrepreneur au fond de lui. Il aime avoir la liberté de programmer sa journée et de travailler au moment où il est le plus inspiré et en forme pour le faire.

A 25 ans, il aimait beaucoup faire la fête, il aimait aussi rencontrer de jolies filles. Il s'est donc dit qu'il allait créer un réseau social sur le Net pour les gens qui sortent faire la fête. Il pouvait de cette manière allier ce qu'il aimait faire à un quotidien plus libre. Cela a été très dur au début, comme c'est souvent le cas pour les start-up. Même s'il n'avait pas d'argent et que les perspectives semblaient par moments assez pessimistes, il n'a jamais renoncé à son projet. Il a réussi à créer l'un des dix sites danois les plus visités. Il a fini par gagner très bien sa vie et la valorisation de sa société était très élevée. Lorsque Facebook est arrivé au Danemark, son site s'est effondré en six mois. Il a vendu ses parts pour un euro. Mais comment faire après ? Les soi-disant «bons conseils» lui disaient : «Ah, c'est super d'avoir suivi ta passion mais maintenant il est temps de devenir adulte et sérieux.» «Trouve-toi un travail normal dans le monde d'Internet.»

Il n'a rien voulu entendre de tout cela. Mon frère a souffert tout petit d'une santé assez fragile. Il était souvent malade et avait des allergies et de l'asthme. Il a décidé de trouver une solution pour améliorer sa santé. Il est allé voir une nutritionniste qui lui a conseillé d'éliminer le lactose et le gluten de son alimentation. Cela a fonctionné, il s'est senti beaucoup mieux, plus d'allergies, plus d'asthme. Pendant des mois, il a lu tous les livres sur la santé et la nutrition. Il est allé voir des conférences dans le monde entier sur la question. Il a donc décidé de suivre sa nouvelle passion : rendre accessible aux gens une nutrition plus saine et naturelle. Il a ouvert son premier restaurant «42 Raw» à Copenhague en 2009, basé sur un concept végétalien, sans protéines, graisses animales, ni gluten.

Aujourd'hui, il est propriétaire de deux restaurants à Copenhague. Il ne gagne pas beaucoup d'argent encore, ou juste suffisamment pour vivre correctement (ce qui est bien entendu déjà un bon niveau comparé à beaucoup de personnes dans le monde !), mais il est heureux et passionné par son projet. Les perspectives sont bonnes, mais il remplit déjà sa vie avec des choses qu'il aime faire.

Comparaison n'est pas raison !

Observons, sur le plan collectif, les études qui font le lien entre le niveau de richesse d'un pays et son niveau de bonheur.

Dans le Gallup World Poll[1] par exemple, on voit bien sûr d'un point de vue global qu'il existe un lien entre pays riche et pays heureux. On voit aussi, évidemment, qu'il est difficile de parler de bien-être ou de bonheur dans les pays de grande pauvreté, quand les besoins fondamentaux ne sont même pas couverts.

Mais à y regarder de plus près, la relation entre revenu et bien-être est loin d'être si

---

1. Gallup World Poll 2010, http://www.galup.com/strategicconsulting/en-us/worldpoll.aspx

mécanique. D'abord, dans les pays «riches», le lien de causalité entre revenu et bonheur n'est pas forcément directe : un ensemble de caractéristiques propres aux pays riches peuvent contribuer à ce bonheur, comme une démocratie et une justice qui fonctionnent, l'absence de guerre, la protection des libertés individuelles, etc. Mais l'augmentation de la richesse dans le monde sur les trente dernières années n'a pas eu d'effet sur le bonheur exprimé par les différentes populations. Et puis, au cas par cas, le lien ne se vérifie pas forcément : les Etats-Unis, qui ont l'un des PIB par habitant les plus élevés au monde (environ 46 400 dollars), n'arrivent qu'en 16e position du classement pour le bien-être général, et en 26e position concernant celui de simples «instants de satisfaction». La Nouvelle-Zélande, au contraire, est 51e mondial en termes de PIB par habitant (27 300 dollars environ), mais championne des moments de joie. Le Danemark, 31e PIB par habitant mondial, est numéro un du point de vue du bien-être général.

Ce que montre le rapport, finalement, c'est que l'argent a une influence sur le bonheur, mais essentiellement parmi les revenus bas. A partir d'un certain seuil où les fondamentaux sont assurés, l'argent n'a pas ou très peu d'effets sur le bien-être.

Pourquoi ? L'économiste Richard Layard[1] parle d'une propension de l'individu à s'adapter rapidement aux nouvelles situations. Pour lui, le grand problème que posent les biens matériels, c'est que l'être humain s'accoutume très vite à un nouvel état. Par exemple, quelqu'un qui change de job pour gagner plus d'argent va dans un premier temps se sentir plus heureux sur le plan pécuniaire. Mais ça ne va durer que quelques semaines : après, la personne s'adapte à son nouveau niveau de vie et le sentiment de bonheur retombe. Le même constat est valable pour toutes les acquisitions de bien matériels : on s'habitue très rapidement à une nouvelle maison ou une nouvelle voiture, et la joie du début est vite normalisée. On observe par exemple que le niveau de bonheur des gagnants du loto a tendance à revenir exactement à son état habituel après une période de joie de courte durée. Certains gagnants sombrent même dans la dépression. L'étude la plus connue sur le sujet date de 1978 et a été publiée dans le

1. Richard Layard, *Happiness, lessons from a new science*, 2005.

Journal of Personality and Social Psychology[1]. Les résultats sont basés sur des interviews de gagnants du loto, des «non-gagnants» du loto et des personnes qui ont eu un terrible accident. On observe un pic de bonheur chez les gagnants après la bonne nouvelle, pendant une période de quelques mois. Après, leur niveau de bonheur revient au point de départ. En gros, l'étude montre qu'au bout d'un certain temps les gagnants, les non-gagnants et ceux qui ont eu un accident sont quasiment au même niveau de bonheur ou, disons, de bien-être.

Pour comprendre le lien entre argent et bonheur, Richard Layard a une autre théorie, qu'il appelle le «revenu relatif». Le principe du revenu relatif est simple : quelqu'un de riche est quelqu'un qui gagne plus que son voisin. Ce qui compte pour une majorité de gens, ce n'est pas le revenu absolu mais leur revenu comparé à celui des autres. Layard cite l'exemple de deux mondes imaginaires : dans le premier vous gagnez 50 000 dollars et les autres 25 000 dollars. Dans le deuxième vous gagnez 100 000 dollars et les autres 250 000 dollars. Il

---

1. P. Brickman, D. Coates & R. Janoff-Bulman (1978). «Lottery winners and accident victims : Is happiness relative?», *Journal of Personality and Social Psychology*, 36, 917-92.

se trouve qu'une grande majorité des étudiants de l'université d'Harvard, auxquels l'économiste a posé la question, ont choisi la première option.

Le danger le plus toxique, c'est finalement cette course par rapport aux autres. Il est assez courant dans le monde de la finance qu'au moment des bonus, les banquiers qui reçoivent des montants astronomiques ne soient pas satisfaits s'ils savent que quelqu'un a gagné plus qu'eux. C'est encore le revenu relatif qui joue, fausse leur vision, et les rend insatisfaits.

Pas besoin d'être docteur en économie pour sentir que les comparaisons sont le chemin le plus direct vers la frustration – sauf si on a la sagesse de se comparer avec des gens qui ont moins que nous, dans ce cas, cela peut même avoir un effet positif car on se sent plus chanceux que les autres. Malheureusement, une majorité des gens se comparent avec ceux qui ont plus. Une fois arrivés à leur niveau, ils trouvent de nouvelles références qui ont encore plus. C'est un cercle vicieux, et il est difficile d'en sortir. Ne soyons pas naïf : il est indéniable qu'avoir de l'argent, c'est agréable, et que, toutes choses égales par ailleurs, cela offre une plus grande liberté. Mais le problème est qu'une majorité de personnes pensent à tort que l'argent va les rendre plus heureux alors que cela est souvent juste le début de ce cercle très vicieux du «toujours plus». L'idée qu'on est malheureux parce que l'on n'a pas ou peu d'argent peut consoler un temps, et cacher les vraies raisons du mal-être. Mais lorsque l'argent coule à flots et que l'on n'est toujours pas heureux, on n'a plus d'excuses au mal-être et ça donne le vertige: «Je suis riche, je peux acheter ce que je veux mais je ne suis pas bien, alors où est le problème?»

Entre deux séances d'écriture je déjeune avec un copain qui occupe un poste important dans un grand groupe français. Il est beau, intelligent, sympathique et riche. Il n'est pas français mais il vit à Paris. Il vient juste d'acheter un magnifique appartement à l'une des plus belles adresses du VIIIe arrondissement de Paris. Il voyage dans le monde entier et il a en plus une maison secondaire dans le sud de la France. Je me suis toujours dit en le voyant: «Quelle belle vie, quelle chance a ce garçon!» Je commence le déjeuner avec la question très banale: «Alors comment vas-tu?» Cette question me donne droit à une réponse de 65 minutes (oui, oui, je comptais!) sur la fiscalité. «Ah là là, tu ne peux pas savoir le cauchemar avec tous les impôts que je paie...» J'essaie d'être positive et de lui remonter le moral: «Mais en même temps, si tu paies beaucoup d'impôts, c'est que tu gagnes beaucoup, donc tu peux faire ce que tu veux et profiter d'une belle vie! — Oui mais je n'ai pas le temps», répond-il. J'essaie à nouveau: «Et ta belle maison dans le Sud, tu y es allé dernièrement?» Il s'énerve: «Ne m'en parle pas, tu n'imagines pas ce que ça me coûte, en impôts, en entretien et en plus tout le monde veut venir et il faut s'occuper d'eux!» Je décide de changer de sujet: «Et ton job et ta nouvelle promotion, ça te plaît?» J'ai cru un moment qu'il allait s'en prendre au pauvre saumon qui était dans son assiette tellement il avait l'air mécontent! «C'est l'enfer, c'est tous des cons et puis mon bonus... et tu sais on travaille quand même tous pour ça au fond... bah je ne suis même pas sûr de le toucher.» Il termine le déjeuner en disant: «Tu imagines, si on était riches et que l'on n'avait pas à se faire ce genre de soucis!!!» Allez, je crois qu'on peut le dire... l'argent ne fait pas le bonheur.

9

Je ne me prends pas pour un être supérieur
(la modestie)

Cette philosophie cultive une retenue assez agréable chez les gens. Dans l'esprit des Danois, «ce qui compte ce n'est pas de gagner mais d'avoir participé».

En 2010, le restaurant Noma à Copenhague est élu meilleur restaurant au monde[1]. La cérémonie pour ce prestigieux événement a lieu à Londres et le chef Rene Redzepi décide très naturellement d'emmener avec lui toute son équipe. Le plongeur Ali Songo, d'origine gambienne, fait bien sûr partie de la liste. Mais au dernier moment, il réalise qu'il lui faut un visa pour entrer en Angleterre. Ce qui rend le voyage impossible. Triste de ne pas pouvoir partager ce moment avec lui, toute l'équipe du Noma monte sur scène à Londres habillée d'un T-shirt avec la photo d'Ali Songo.

Rene Redzepi reste très humble et modeste par rapport à son succès. Il le considère comme le

1. Noma, meilleur restaurant du monde en 2010, 2011 et 2012, prix San Pellegrino de la revue britannique *Restaurant Magazine*.

fruit des efforts de chaque personne dans l'équipe. D'ailleurs, en salle, il tient à ce que chaque cuisinier serve le plat qu'il a préparé : ça fait partie de sa philosophie. Et tous ont bien entendu goûté tous les plats du menu. L'ambiance de la cantine du personnel est d'ailleurs aussi importante et soignée que celle du restaurant. Les repas sont préparés dans l'esprit de la maison, avec les meilleurs ingrédients. En 2012, le Noma gagne pour la troisième fois consécutive le prix de meilleur restaurant au monde. Et cette fois-ci c'est Ali Songo qui fait le discours de remerciement à Londres avec toute l'équipe.

Bang & Roligans

Pas besoin de dîner au Noma pour saisir l'essence de cet esprit danois. On peut aussi simplement (même si c'est moins bon !) lire la «loi de Jante». De quoi s'agit-il ? D'un concept inventé par l'auteur Aksel Sandemose en 1933[1], basé sur la modestie. C'est une liste très concrète de conseils de vie basés sur une philosophie simple et qui fait pour beaucoup chez nous office de «code de conduite», un peu comme les «dix

1. Aksel Sandemose, *En flyktning krysser sitt spor*, 1933.

commandements de l'humilité». Si on résume l'idée générale, il ne faut pas croire que l'on est meilleur que les autres ou penser que l'on peut leur apprendre quelque chose.

Cette philosophie cultive une retenue assez agréable chez les gens, mais attention, elle a aussi ses limites : elle peut décourager les talents de s'exprimer et de s'épanouir librement dans la société danoise. C'est le même travers déjà évoqué sur le thème de l'éducation, le refus de l'élitisme ou le réalisme : on a par moments l'impression que les vraies réussites danoises sont presque le fruit du hasard. On ne s'attend pas à devenir le meilleur dans un domaine car ce n'est pas le but et, de surcroît, ce n'est pas nécessairement bien vu. Clairement, dans l'esprit des Danois, «ce qui compte ce n'est pas de gagner mais d'avoir participé».

Dans les années 1980, les Danois se sont fait connaître dans le monde par leurs «Roligans», les supporters de l'équipe nationale de football du Danemark. Le nom joue sur l'opposition aux hooligans britanniques : «roligan» est un croisement entre «rolig», mot danois voulant dire «tranquille» ou «calme», et hooligan. Leur fair-play et la recherche d'une atmosphère conviviale s'opposent à la violence et l'agressivité.

L'important est d'avoir du plaisir et de passer un bon moment, pas tellement de gagner ou perdre. L'accent étant mis sur la participation et non la victoire, les Roligans peuvent se réjouir des moindres succès de leur équipe. Ils ont même reçu un diplôme du Comité international pour le fair-play à la suite de leur participation à l'Euro 1984. Tout cela, bien sûr, avec sur les têtes des casquettes de Viking et la bière qui coule à flots.

Et pas n'importe quelle bière : de la Carlsberg bien sûr, la bière danoise... « Probablement la meilleure bière au monde », dit sa publicité. Eh oui : la modestie se retrouve partout, même notre manière de « communiquer ». Quand Carlsberg a lancé sa campagne à Londres, la marque de bière néo-zélandaise Steinlager a tout de suite répliqué par une campagne avec le slogan « Certainement la meilleure bière au monde ». Et aux Etats-Unis, Budweiser, c'est « le roi de la bière ». Pas chez nous : au Danemark, les publicités sont plutôt dans l'esprit « un peu mieux » ou « légèrement meilleure que d'habitude ». Les Danois apprécient et comprennent très bien le sens de ces messages, alors que pour un non-Danois cela peut sembler un signe de manque de confiance en soi ou de faiblesse.

Bang & Olufsen, la marque audiovisuelle danoise, s'est imposée pendant des années comme la référence ultime dans ce domaine. Les produits sont vendus très chers, souvent dix fois au-dessus du prix d'un produit basique. Lorsque j'ai travaillé pour Bang & Olufsen entre 1997 et 2003, j'ai bien constaté la résistance, au sein du groupe, au fait de vanter un produit de luxe. Ils affirmaient: «Non, ce n'est pas un produit de luxe mais un produit de qualité!» Cela rendait la stratégie assez compliquée vis-à-vis de marchés comme la France par exemple, où la marque se positionne clairement dans l'univers du luxe. Cette réticence peut être expliquée par le fait que le mot «luxe» a une connotation négative au Danemark. Le luxe c'est le superflu, l'apparence, l'ostentatoire, le clinquant. Le terme est associé au fait de se démarquer, de vouloir imposer aux autres son apparente supériorité. Bang & Olufsen avait à l'époque une part du marché au Danemark de 25%. C'est énorme quand on pense qu'une chaîne hi-fi était vendue aux alentours de 3000 euros. J'avais plusieurs amis qui travaillaient tout l'été pour pouvoir se payer une chaîne hi-fi ou un téléviseur B&O. Mais on ne parlait jamais d'un produit de luxe, non non, c'était un produit de qualité! Je ne suis même pas sûre d'avoir le souvenir pendant mon temps chez B&O d'avoir entendu la revendication d'«être les meilleurs» malgré ce positionnement.

Le lièvre et la tortue

Retour sur mes 19 ans : après une année à Paris, je décide de rentrer au Danemark pour aller vivre à Copenhague. La capitale du Danemark a une population d'environ un million d'habitants en comptant les banlieues, ce qui me changeait de Paris. Je voulais en profiter pour prendre du temps pour moi, vivre mes propres expériences et profiter d'une liberté relativement insouciante avant de commencer sérieusement mes études.

J'ai postulé au Café Victor, l'endroit le plus en vogue de la ville, à l'époque «the place to be» des privilégiés de Copenhague. Une jeune femme de 19 ans originaire de Jutland ? L'équipe du café m'a regardée un peu comme une paysanne tout juste débarquée du dernier train. Enfin, ils m'ont quand même engagée. Et alors là, j'ai découvert un aspect du Danemark que je ne connaissais pas. C'était soi-disant «l'élite de Copenhague», les barmans se prenaient très au sérieux, ils étaient presque les stars de la ville. Après quelques semaines, je leur ai demandé un jour si je pouvais venir travailler le soir en weekend. Le vendredi et le samedi soir, «la crème de la crème» de Copenhague faisait la fête ici. Mon chef barman m'a regardée et m'a répondu : «Les soirées en week-end, c'est la formule un, et toi tu es un go-kart, tu comprends ?» Pour moi c'était rare et très étonnant d'observer ce genre d'attitude chez les Danois. Tellement rare d'ailleurs que deux semaines après cet épisode, le propriétaire du café a organisé, un dimanche, une réunion exceptionnelle : il s'était rendu compte que les fameux soirs de «formule un», beaucoup d'argent disparaissait de la caisse (rappelons que comme notre système est basé sur la confiance, il est souvent assez facile de voler au Danemark ; certains peuvent même dire que notre système est assez «naïf»). Le patron a demandé que l'argent soit rendu, sinon il licenciait tout le monde. Eh bien on a tous été licenciés.

Morale de l'histoire ? Il existe aussi au Danemark comme partout ailleurs des gens avec des ego bien développés, à qui cette fameuse modestie est complètement étrangère. Et, hasard ou coïncidence, comme pour les soirées «formule un», il se trouve que ceux qui la ramènent le plus ne sont pas toujours les plus honnêtes, ce qui crée un raccourci supplémentaire dans l'esprit danois entre ostentation et méfiance.

Il existe des cas connus au Danemark qui peuvent illustrer cette théorie, comme l'homme d'affaires Klaus Riskær, qui s'est fait une grosse fortune rapidement et a tout fait pour le montrer, sans aucune humilité. Après plusieurs procès, il a été condamné pour fraude et a écopé de six ans de prison ferme. Histoire similaire pour Kurt Thorsen, un magnat de l'immobilier qui faisait le malin : il a été condamné à la prison pour fraude fiscale. Cela n'est évidemment pas bien vu et la presse se charge très souvent de rapporter ces cas en rappelant les bons vieux principes de la société danoise, probité et profil bas.

Le contraste m'était d'ailleurs apparu flagrant lorsque j'ai été embauchée comme hôtesse dans un restaurant très à la mode à Paris en 1999. Le directeur nous expliquait (sans aucune gêne) qu'il fallait placer les gens beaux et riches devant, bien visibles, et les gens « moches et banals » (pour reprendre l'expression affreuse du responsable) dans le fond, vers les toilettes de préférence ! De temps en temps, quand la salle de devant était pleine, je me voyais obligée de placer des gens « beaux et riches » dans le fond, ce qui déclenchait à chaque fois des scandales houleux. Comment pouvais-je oser les reléguer à la place des «moches et banals»?

La mégalomanie à la queue

Après l'épisode «go-kart», j'ai tout de suite trouvé un autre travail dans un café juste à côté qui correspondait bien mieux à mes références et aux valeurs danoises. Ici aussi c'était une clientèle assez sélective mais personne ne se prenait au sérieux, on était tous là parce que le propriétaire Michael était quelqu'un de bien. Il nous traitait avec respect et bienveillance. On avait le droit de boire et manger ce que l'on voulait gratuitement à condition de le marquer sur un carnet. Ce que tout le monde faisait, sans songer à tricher. Parce que dans le ciel des valeurs danoises, toutes les «étoiles» se tiennent: modestie va avec confiance et honnêteté, mais aussi avec solidarité.

J'ai enfin retrouvé ces valeurs suite à mon expérience chez Relais & Châteaux qui fut très courte et assez éprouvante. En 2006, j'ai eu la grande chance d'être engagée par le groupe Hyatt, une chaîne hôtelière américaine aux valeurs humaines. Ils m'ont confié le poste de directrice de la communication pour l'Europe, l'Afrique et le Moyen-Orient. J'y travaille encore aujourd'hui et je me rends compte chaque jour du bonheur de faire partie d'un groupe qui valorise l'humain et le respect de l'autre, et d'être entourée des gens passionnés par les hôtels et les voyages.

Selon une étude de l'université Baylor publiée en 2012 dans le *Journal of Positive Psychology*[1], les personnes humbles sont plus susceptibles de donner de leur temps à d'autres individus dans le besoin que les personnes arrogantes. L'article explique qu'en trente ans de recherches dans le domaine comportemental, c'est la première fois que l'on parvient à établir un lien entre caractéristiques de la personnalité et volonté d'aider les autres. L'amabilité s'est aussi révélée être un facteur important, mais il a été établi que l'humilité était le meilleur indicateur de cette volonté d'aide envers les autres. Wade Rowatt, professeur de psychologie et de neuroscience, confirme que l'humilité individuelle est une qualité bénéfique pour la société. Bien sûr, plusieurs facteurs peuvent influencer la volonté d'une personne d'en aider une autre, mais il ressort clairement

---

1. «Humble persons are more helpful than less humble persons : Evidence from three studies», in *Journal of Positive Psychology*, 2012.

de l'étude qu'une personne humble est plus serviable qu'un individu prétentieux.

C'est peut-être aussi cette humilité qui explique un phénomène assez inattendu au Danemark : le niveau élevé de la consommation d'antidépresseurs. On me dit parfois : « Si le Danemark est si heureux que ça, alors pourquoi les Danois consomment-ils autant d'antidépresseurs ? » C'est vrai, ils en prennent : la dernière étude du Statens Serum Institut de 2011 parle d'un Danois sur douze qui consomme des antidépresseurs. Mais peut-être pas forcément parce qu'ils sont plus malheureux qu'ailleurs. Peut-être, simplement, parce que, plus modestes, moins gênés de leurs faiblesses, ils osent reconnaître qu'ils ne vont pas bien, qu'ils ne sont pas au top de leur forme. Avoir besoin à un moment de sa vie d'antidépresseurs n'est pas un tabou dans la société danoise.

Claus Møldrup, de la faculté de pharmacie de l'université de Copenhague, analyse ce phénomène[1] en expliquant que culturellement, au Danemark, les dépressifs sont mieux compris et mieux acceptés qu'ailleurs. Ici ce n'est pas une honte de dire que l'on souffre de dépression et

---

1. Claus Møldrup, « Danskerne æder lykkepiller som aldrig før » in *Ugebrevet A4*, décembre 2007.

encore moins de se faire traiter pour aller mieux. Claus Møldrup observe également que la dépression reste encore un sujet très sensible et parfois honteux dans de nombreux pays, notamment du sud de l'Europe. Il n'oublie pas non plus une autre explication, classique, mais qui compte : le manque de lumière dans les pays du Nord. Les journées particulièrement courtes – pendant neuf mois de l'année il fait nuit vers 15 heures – jouent physiologiquement sur cette tendance. Dans le même esprit, l'économiste Richard Layard, dont nous avons déjà parlé, a lui aussi mis en avant dans *Le Prix du bonheur (Happiness)* qu'une part importante des dépressions ne sont jamais traitées, pas même dépistées.

Inversons un instant la question : décomplexés ou pas, les Danois sont quand même les quatrièmes consommateurs d'antidépresseurs parmi les pays de l'OCDE (derrière l'Islande, l'Australie et le Canada) [1].

Et si c'était ça qui les faisait «planer»? Si c'était grâce aux effets euphorisants des médicaments qu'ils se déclaraient les plus heureux du monde? La question a déjà été posée. Mais en réalité, cette théorie ne tient pas longtemps la route. D'abord parce qu'un antidépresseur n'a jamais

---

1. OCDE, Health at a Glance, 2013.

rendu personne heureux. Au mieux cela aide à stabiliser un état dépressif pendant une période particulièrement difficile. Et aussi parce que les autres gros consommateurs d'antidépresseurs ne se déclarent pas particulièrement heureux. Aux Etats-Unis, une étude du National Health and Nutrition Examination estime que 11 % des Américains âgés de 12 ans ou plus consomment des antidépresseurs[1]. En France, même si le pays a reculé au 15e rang des 23 pays du classement OCDE 2013 de la consommation d'antidépresseurs[2], c'est en moyenne 150 millions de boîtes d'anxiolytiques, antidépresseurs et autres somnifères qui sont vendues chaque année[3]. Pourtant, ni les Américains, ni les Français ne figurent au palmarès des populations les plus heureuses. Par ailleurs, les études sur le bonheur ont débuté en 1973 et, depuis cette date, le Danemark est en tête des pays les plus heureux. Or, l'introduction des antidépresseurs n'arrive que dans les années 1980. C'est ce qu'explique le professeur danois Meik Wiking de l'Institut de recherche sur le bonheur[4]: la stabilité du Danemark depuis

---

1. National Health and Nutrition Examination Surveys, 2005-2008.
2. OCDE, *op. cit.*
3. Source: Assurance-maladie.
4. Meik Wiking, article dans *Jyllands-Posten*, 27 mai 2013.

quarante ans en tête des classements sur le «bonheur» annule toute explication par les antidépresseurs, introduits en cours de route sans que cela ne change quoi que ce soit.

En tout cas, à 17 ans, je ne me posais pas la question: un samedi soir, alors que je sortais avec ma meilleure amie faire la fête, la queue devant la boite de nuit (en forme de ferry dans le port de Århus) était très longue, trop longue à mon goût. J'ai décidé, en dépit des valeurs que mes parents m'avaient pourtant bien apprises, de la couper pour aller directement me placer en tête de la file. La réaction des deux cents Danois de la queue a été immédiate. Ils se sont tous mis à chanter ensemble un air inventé spécialement pour l'occasion: «*Om bag i køen, ja hun skal om bag i køen*», à savoir en français: «Va derrière dans la queue, oui elle doit aller derrière dans la queue!» J'avais manqué d'humilité en pensant que je n'avais pas à faire la queue comme tout le monde. Eh bien je n'étais pas fière quand j'ai fait les 150 mètres retour pour aller sagement reprendre ma place en bout de file. Mais en même temps, dans un autre pays, je me serais peut-être fait insulter... Là, les Danois ont préféré chanter pour exprimer leur mécontentement.

Pour me sentir moins mal, je me suis dit que c'était sûrement à cause des quelques bières que j'avais bues avant d'y aller que j'avais eu ce comportement, contraire à ce qu'on m'avait appris. Parce que chez nous, on nous explique très tôt qu'il ne faut pas trop se démarquer, ni se faire remarquer. Enfant, j'ai toujours entendu dire que c'était mieux de ne pas dire «toujours, jamais, tout le monde ou personne»: premièrement parce que ce n'était pas de bon goût d'avoir des affirmations aussi extrêmes et deuxièmement, parce que c'était très difficile en général de les soutenir.

Finalement, la seule affirmation stricte sur laquelle les Danois s'accordent, c'est peut-être celle... de Margrethe II, la reine du Danemark: «Nous sommes très fiers de notre modestie. C'est notre mégalomanie inversée. C'est très sophistiqué[1]!»

---

1. New Year speech, 1995, in *Askgaard* 1992, p. 8.

10

Je me sens libre de choisir mon rôle
(l'égalité hommes/femmes)

Chacun est libre de choisir le rôle qui lui convient le mieux sans stéréotypes ni tabous.

J'ai 8 ans et mon frère Jesper 9. Ce jour-là, notre adorable maman nous explique le nouveau schéma des tâches ménagères à la maison. Une mission par jour : mettre la table, arroser les fleurs, passer l'aspirateur, débarrasser la table, vider la machine à laver la vaisselle, descendre la poubelle, etc. Ce sont de petites choses, mais elles sont importantes dans l'apprentissage de la valeur du travail et la participation de chaque membre de la famille à un projet commun. A aucun moment de la distribution du planning, la question fille-garçon n'a été soulevée, ni de près, ni de loin : mon frère et moi avons eu à faire exactement les mêmes tâches.

Plus généralement, nous avons eu tous les deux la même éducation, les mêmes droits, les mêmes interdits sans distinction de genre. Quand j'avais des copines à la maison, on jouait à la poupée ou au «papa et à la maman». Ma mère m'avait bien expliqué qu'il fallait toujours faire une place pour mon frère s'il le souhaitait. C'était pareil pour mon frère lorsqu'il recevait des copains. Ils jouaient aux voitures ou à la guerre entre les cowboys et les Indiens. Et la petite sœur avait toujours le droit d'y participer. On ne faisait pas la différence. Pourtant mon schéma familial était plutôt conservateur. Mon père travaillait, et ma mère s'occupait de nous et de la maison.

Homme au foyer

Je suis donc partie dans la vie avec une absence totale de remise en question de l'égalité entre les femmes et les hommes. Pour moi c'était juste comme ça. Une chose naturelle.

D'une certaine manière, on peut même dire que la société danoise est une société très «féminine», plutôt basée sur des valeurs généralement associées aux femmes comme la solidarité, la coopération, la bienveillance et cette fameuse modestie dont je vous parle beaucoup. Les valeurs les plus importantes restent la famille et la sécurité. La réussite, on l'a vu, n'est pas synonyme de succès financier mais plutôt de vie équilibrée entre famille et travail. Le fait d'exprimer ses sentiments en public est non seulement accepté, mais même apprécié. Le dialogue cultive et facilite les relations. Ici, à Paris, une jeune femme française qui travaille avec moi et que j'aime beaucoup me dit souvent: «Mais enfin, comment faites-vous pour parler comme ça de vous et de ce que vous ressentez avec des gens que vous connaissez à peine?» Ça me fait sourire chaque fois, parce que chez nous, au Danemark, c'est normal, ce n'est pas gênant ni déplacé. Cela ne signifie pas de forcément dévoiler son intimité à tout le monde, mais plutôt d'avoir une approche simple et sincère avec nos interlocuteurs.

Cette liberté de pouvoir exprimer ses émotions et de parler de soi sans que ce soit interprété comme une faiblesse est une avancée formidable, surtout pour... les hommes. Ils assument naturellement leur part de féminité et ils sont libres de choisir, s'ils le souhaitent, le rôle d'«homme au foyer», sans que cela pose le moindre problème à leur ego masculin. Le congé maternité est une affaire partagée: en 2002, il a été prolongé à 52 semaines. Le père a droit à deux semaines suite à l'accouchement, la mère à quatre semaines avant et quatorze semaines après, mais les trente-deux semaines restantes peuvent être partagées librement entre les deux. Et contrairement à beaucoup de cultures, les hommes danois trouvent normal de participer aux tâches ménagères : ils s'occupent des enfants et de la maison (presque) autant que les femmes (à peine une heure de moins en moyenne, contre deux heures de plus consacrées par les femmes au travail domestique en France et en Angleterre, et cinq heures de plus au Mexique et en Inde[1]). Voilà un point que l'on oublie souvent : en réalité, la bataille pour l'égalité a autant libéré les hommes que les femmes. Tout le monde est libre de choisir le rôle qui lui convient le mieux sans préjugés ni tabous.

Il faut dire que cette relation égalitaire entre hommes et femmes est inculquée dès l'enfance, où l'amitié entre filles et garçons est très naturelle. J'avais autant d'amis garçons à l'école que d'amies filles. Il n'y a pas de séparation : même au sport, filles et garçons sont ensemble et sont traités à égalité. De temps en temps, je battais les garçons à la course de 60 mètres, mais ce n'était pas un problème pour eux, ils étaient contents pour moi. L'absence de stéréotypes de genre pousse les enfants à se développer et tendre naturellement vers ce qu'ils aiment, et non vers ce que l'on attend d'eux.

---

1. Source : Panorama de la santé 2011 : les indicateurs de l'OCDE, «Le travail non rémunéré dans le monde».

Un jour, à l'âge de 10 ans, quatre garçons de ma classe ont décidé de venir tous ensemble chez moi me déclarer leur «amour commun»: ma mère les a très simplement accueillis, et leur a proposé de rester boire un soda pour parler. Ils m'avaient acheté des petits cadeaux avec une carte qui disait «Nous t'aimons». Je me souviens que j'étais un peu gênée, mais on a effectivement parlé tous ensemble et ma mère leur a expliqué que l'on était encore très jeunes, et que s'ils m'aimaient vraiment il fallait juste être gentils avec moi et me traiter comme «un ami». Du coup, effectivement, nous sommes devenus très copains.

Dans de nombreux pays, les gouvernements réalisent que la bataille pour améliorer l'égalité hommes-femmes commence dès l'enfance. En France par exemple, une convention interministérielle publiée en 2013 conclut que «préjugés et stéréotypes sexistes, ancrés dans l'inconscient, sont la source directe de discrimination et, à ce titre, doivent être combattus dès le plus jeune âge. Ainsi, la mixité acquise en droit et ancrée dans la pratique demeure une condition nécessaire mais non suffisante à une égalité réelle entre filles et garçons et plus tard entre femmes et hommes. Elle doit être accompagnée d'une action volontariste des pouvoirs publics, de l'ensemble des acteurs de la communauté éducative et des partenaires de l'école». Aux Pays-Bas ou encore en Autriche, une série d'initiatives (notamment un programme appelé «Les filles et la technologie») a aussi été menée afin de promouvoir l'orientation des filles vers des disciplines et des carrières qui ne correspondent pas à leurs choix typiques. En Irlande, le ministère de l'Education a adopté une stratégie de promotion de l'égalité des genres dans l'ensemble du système éducatif: ce principe n'est pas une option, mais une obligation[1].

Sea, sex and snow

Au Danemark, il existe donc très peu de tabous entre les hommes et les femmes, en tout cas je n'ai pas le souvenir d'un sujet que l'on n'ait pas eu le droit d'aborder, ni enfant, ni adulte. La vie quotidienne est simple et assez décomplexée. Les gestes les plus banals, comme par exemple marcher dans la rue avec un gros

---

1. «Différences entre les genres en matière de réussite scolaire: étude sur les mesures prises et la situation actuelle en Europe», Etude Eurydice par la Commission européenne, 2010.

paquet de papier toilette après avoir fait les courses, ne mettent aucunement mal à l'aise les Danois. Cela m'est arrivé une seule fois à Paris : je me souviens encore des regards apitoyés des gens qui me croisaient... peut-être aussi parce que j'avais mis les rouleaux dans un beau sac beaucoup trop petit !

Encore une fois, la seule chose qui peut mettre vraiment mal à l'aise un Danois – ou une Danoise –, c'est le manque de modestie : entendre quelqu'un se vanter de son succès nous fait plus rougir que de parler d'amour ou de sexe.

La sexualité est quelque chose de très naturel pour les Danois. On peut tout à fait en parler à table à un dîner entre amis. Ce n'est ni une honte ni un péché. La femme, autant que l'homme, est libre de vivre sa sexualité selon ses envies. Là encore, l'absence de rôles ou de stéréotypes enlève une certaine pression morale imposée soit par la religion soit par les normes sociales.

Une amie m'appelle pour me raconter qu'elle a croisé un ex-petit copain avec son mari lors d'un dîner en ville. Elle me dit : « Ah tu sais, j'étais un peu gênée vis-à-vis de mon mari, donc je l'ai juste présenté comme quelqu'un avec qui j'avais tiré un coup.» Je réponds un peu surprise : «Euh, c'est un peu dur non ?» Elle continue : «Oui, j'ai eu l'impression qu'il était un peu étonné... mais bon, il valait mieux le faire passer pour un plan cul que pour une histoire d'amour !» En effet les Danois n'ont pas de problèmes avec les relations sans lendemain : il semble même que le Danemark détienne le record mondial en la matière.

Les pays scandinaves, y compris le Danemark, détiennent aussi le record de l'âge des premières relations sexuelles. Les Islandais commencent le plus tôt, vers 15 ans, et la Suède, la Norvège et le Danemark vers l'âge de 16 ans. Les Français attendent d'avoir passé l'âge de 17 ans, un peu après les Américains qui ont 16,9 ans en moyenne. Les Indiens restent vierges jusqu'à 20 ans, un peu comme les jeunes Asiatiques qui ont en moyenne entre 18 et 19 ans pour le premier rapport[1].

En septembre 2009 une vidéo circule, montrant une jeune Danoise à la recherche du père de son enfant à travers le monde. Plus d'un million de personnes la regardent en quelques jours. La jeune femme raconte avoir rencontré un garçon charmant à la fin d'une soirée plutôt

---

1. Global Sex Survey, Durex, 2005.

bien arrosée. Elle n'a jamais connu son prénom, mais elle a passé une belle nuit avec lui. Dans la vidéo, elle tient le petit August dans ses bras, qui est donc né suite à cette rencontre. Elle précise qu'elle veut juste qu'il soit au courant et qu'elle n'exige absolument rien de lui, ni argent, ni qu'il reconnaisse l'enfant.

Coup de théâtre : cette vidéo, en réalité, a été conçue et diffusée non pas par la jeune femme mais par l'office du tourisme officiel du Danemark, «VisitDenmark», pour créer un buzz et attirer les touristes. Le scandale éclate, pour des raisons évidentes : promouvoir le Danemark comme un pays où les filles couchent avec un inconnu le premier soir, et de surcroît sans préservatif, n'est pas forcément de bon goût. Les auteurs de cette idée assez aberrante ont répondu que le but était de communiquer sur la liberté de choisir sa vie, y compris de faire un bébé seule sans être jugée par les autres. VisitDenmark a quand même retiré rapidement la vidéo, avec un communiqué reconnaissant que le message pouvait potentiellement prêter à confusion. Je confirme !

J'avoue que cette histoire me fait assez rire – je la trouve tellement absurde –, mais quelque part, elle confirme l'attitude très décomplexée de certains Danois vis-à-vis de la sexualité. Cela dit, cette histoire a tellement fait polémique que la directrice de VisitDenmark a été forcée de quitter son poste quelques semaines plus tard.

En août 2013, un couple danois fait encore parler de notre fameuse liberté sexuelle, en décidant, après un match de foot, de prolonger le plaisir : ils font l'amour directement sur la pelouse du stade. Manque de chance, l'agent de sécurité n'est pas du même avis, et les interrompt sans ménagement. Incroyable ? Non : il paraît que les Danois détiennent le record mondial des couples ayant déjà fait l'amour dans un lieu public.

Justement le principe de s'exposer en public étonne souvent les touristes à Copenhague, lorsqu'ils voient par exemple les Danoises seins nus lors de leur pause déjeuner sur la pelouse du parc central de Copenhague, Kongens Have. Pour les Danois, ce n'est pas un problème, car cette relation naturelle avec notre corps fait partie de notre ADN.

C'est certainement cela qui explique la facilité avec laquelle les garçons, et aussi les filles, s'abordent en fin de soirée en disant tout simplement : «Bon, tu me plais bien, on couche ensemble ?» Pas de cinéma, pas de faux-semblants, une approche simple : on en a envie, alors pourquoi se priver d'une nuit agréable ? Bon attention, ne vous excitez pas trop, cela ne marche pas à tous les coups et pas non plus avec tout le monde !

La pratique, c'est sympathique. Mais la théorie ? Eh bien, les chercheurs sont formels : sexe et bonheur font bon ménage. Richard Layard, dans son livre *Le Prix du bonheur,* place le sexe en tête des activités qui rendent les gens le plus heureux. Cela est aussi confirmé par une étude très sérieuse du professeur de psychologie Carsten Grimm de l'université de Canterbury en Nouvelle-Zélande, qui conclut au très fort «potentiel bonheur» des rapports sexuels : pour lui, les gens préfèrent encore le sexe à Facebook, et c'est bon signe [1].

Histoires de famille

L'absence de tabou entre hommes et femmes a une autre conséquence, majeure en termes d'organisation de la société : la liberté de répartir les rôles et les responsabilités comme on le

---

1. Carsten Grimm, «People like sex more than Facebook», University of Canterbury (2012).

souhaite au sein de la famille, une grande liberté dans le choix de son partenaire et la formation de couples variés et non-conventionnels. Toutes les possibilités sont ouvertes : des couples qui vivent ensemble avec ou sans enfants, tous les scénarios imaginables de familles recomposées, des couples qui ont une relation mais qui vivent séparément... Les Danois se marient aussi, bien sûr, même si la tendance est à la baisse depuis 2008 avec seulement 31 000 couples mariés en 2010 – contre un record de 42 000 couples mariés en 1965[1].

A l'été 2002, je rentre au Danemark pour assister au mariage de l'une de mes très charmantes amies danoises. C'était une belle fête, dans un lieu idyllique au bord de la mer. L'ambiance était chaleureuse et romantique. Nous étions environ soixante convives, tous heureux de partager ce joli moment. Fidèle à notre tradition, au moment du dîner, le mari s'est levé pour faire un discours touchant et romantique. A la fin de son éloge, il a regardé la mariée dans les yeux en disant : «Je t'aime, je t'aime de tout mon cœur et même quand tu pètes dans le lit et que tu penses que je n'ai rien senti, eh bien je t'aime autant.» Je sais,

---

1. Rapport sur l'égalité homme/femme, Danmarks Statistik, 2011.

pour un lecteur non-danois, cela peut sembler absolument affreux. Mais tous les invités ont trouvé cette image parfaitement normale, voire romantique pour certains. Il est vrai qu'au fond c'est un témoignage extraordinaire de cette relation très nature et non-prétentieuse entre homme et femme au Danemark. Quand je raconte cette histoire à mes amis français et américains ils ne me croient pas, et quand j'insiste ils me regardent avec un air interloqué en disant: «Euh, et ils ont divorcé au bout de combien de temps?» Heureusement je peux les rassurer (ou peut-être pas d'ailleurs), car ils sont toujours ensemble et très heureux!

Mais parlons divorce, car il est vrai que le Danemark a l'un des taux de divorce les plus élevés de l'Europe: 2,6 pour mille habitants en 2011, 2,0 en France, 1,7 en Pologne, et 0,7 en Irlande. Le record est tenu par les pays de l'Est comme la Lettonie à 4,0 et la Lituanie à 3,4. Le taux aux Etats-Unis reste aussi élevé, à 3,6, mais baisse néanmoins, puisqu'en 2000, il était à 4,0[1].

Il y a quelques mois, l'une de mes meilleures amies danoises m'appelle. Cela fait un bon moment qu'elle n'est plus heureuse avec son mari qui s'est révélé être un menteur chronique.

---

1. CDC/NCHS National Vital Statistics System.

Elle s'est beaucoup battue pendant les deux dernières années pour essayer de trouver une solution, car avec deux enfants en bas âge, la situation est délicate. Elle me dit : « Bon, ça y est. On a divorcé hier : quelques clics sur Internet, et en route pour un nouvel avenir ! » Quelques clics, comment ça ? Eh bien depuis le 1er juillet 2013, le système danois offre la possibilité d'éviter d'attendre les six mois de séparation normalement nécessaires à l'officialisation du divorce, en choisissant une procédure plus efficace, en ligne, qui prend effet immédiatement. 900 couronnes (120 euros) pour le divorce immédiat, ou 1 800 couronnes (240 euros) avec la période de séparation. Cela peut choquer certaines personnes au premier abord : rendre le divorce plus facile ne va-t-il pas inciter plus de gens à passer à l'acte ? Le débat médiatique s'enflamme : pour certains avocats spécialisés, le « e-divorce » pourrait faire déraper des couples à l'occasion d'une dispute – un coup de colère, et hop, Internet, et divorce. En face, la coach Mette Haulund, spécialisée dans les divorces, dans un article paru au *Berlingske*[1], souligne les tendances positives de la nouvelle loi : la grande majorité des couples

---

1. Quotidien danois *Berlingske*, article publié le 1er juillet 2013.

qui divorcent sont des adultes responsables qui se sont déjà longuement battus pour sauver leur mariage. La plupart du temps, des années de réflexion précèdent le choix du divorce en dernier recours. La loi permet simplement d'épargner aux couples déjà éprouvés la pénibilité d'une procédure longue, lourde, compliquée, qui remue le couteau dans la plaie pendant des mois.

Quelles que soient les analyses, au fond, cette option correspond très bien à la société danoise : car depuis notre plus jeune âge, on nous apprend à être autonomes et responsables de notre liberté.

Gentlewoman

Conséquence collatérale, mais qui a son importance : l'égalité instaurée entre les femmes et les hommes a aussi libéré les hommes de la charge de devoir systématiquement inviter les femmes. Avis aux amateurs : au Danemark, quand un homme propose à une femme un rendez-vous galant, il n'est pas forcement obligé de l'inviter à dîner. Très souvent la femme paie sa part, parfois même avec le calcul exact de ce qu'elle a commandé. Il m'est même arrivé de dîner avec un garçon (chacun a bien sûr payé sa part) qui m'a raccompagnée ensuite chez moi en voiture : une fois devant ma porte, il m'a gentiment demandé... de payer une partie de l'essence. Pas loin finalement de l'histoire de ce garçon qui est venu me chercher en voiture pour m'emmener au cinéma : fidèle à nos traditions, je propose de lui rembourser le billet. Il accepte volontiers et ajoute : « Euh, merci... au fait, il manque... ah, écoute allez, pour cette fois je te fais cadeau du parking ! » Il ne faut pas non plus s'attendre à ce qu'un Danois se lève pour proposer sa place à une femme, ni à ce qu'il vous aide à porter des objets lourds, ou même à ce qu'il vous tienne la porte. J'oublie toujours ce détail quand je rentre au Danemark, et du coup je me prends très fréquemment la porte en pleine figure.

Cela vaut de façon plus générale dans la vie sociale : homme et femme paient à égalité, quels que soient leurs ressources et leur milieu social. Je me souviens d'un dîner avec le prince héritier du Danemark. C'était à Paris. On était cinq Danois à table et chacun a payé sa part, le prince aussi, ni plus ni moins que les autres.

Mais revenons à notre égalité hommes-femmes : elle se retrouve à tous les niveaux de la société, monde du travail, vie citoyenne, business.

En 2010, 76,5% des Danois et 72,4% de Danoises travaillent[1] : la différence est minime (en France, 76% des hommes travaillent contre à peine plus de 67% des femmes; cet écart atteint 15 points, 74% contre 59%, si on résonne en équivalent temps plein[2]). Ces résultats sont la conséquence d'une conception civique et politique profonde. Les pays du nord de l'Europe, dont le Danemark en 1915, ont été des précurseurs en matière de droit de vote des femmes en Europe : la Suède dès 1718 (mais seulement jusqu'en 1771, puis de nouveau en 1918), la Finlande et la Norvège entre 1906 et 1915. Les femmes ont ensuite attendu 1919 en Allemagne, 1931 en Espagne et en Turquie, et 1944 en France, à la Libération.

Aux dernières élections du Parlement danois en 2011, les femmes représentaient 33% des candidats et, parmi les 175 élus, 39% étaient des femmes (il faut savoir qu'aux Etats-Unis, en 2013, le Parlement compte 18% de femmes élues, en France 25%, au Royaume-Uni 22%,

---

1. Danmarks Statistik, 2011.
2. http://www.insee.fr/fr/ffc/ipweb/ip1462/ip1462.pdf

au Brésil et au Japon 13 % environ[1]). Lors de cette même élection, les Danois ont élu pour la première fois une femme comme Premier ministre du Danemark. Elle s'appelle Helle Thorning-Schmidt et a nommé 9 femmes parmi ses 23 ministres, ce qui représente 39 % de son gouvernement.

Dans le monde des affaires, 21 % des membres des conseils d'administration sont des femmes. Ce chiffre est de 24 % en France, de 19 % au Royaume-Uni, de 17 % en Allemagne et de 10 % en Italie[2]. La moyenne de l'Union européenne s'établit à 14,9 %. En Norvège, 42 % de femmes étaient présentes en 2012 aux conseils d'administration ! Un détail qui n'en est pas un : certains pays ont fait le choix de « booster » cette présence des femmes par une obligation de la loi : c'est le cas de la France, avec une loi de 2011 (qui prévoit en effet un quota de 20 % de femmes en 2014 dans les conseils d'administration des sociétés cotées en Bourse et de celles employant au moins 500 salariés, et de 40 % en 2017), de la Norvège, pionnière en la matière, de la Belgique, de l'Islande ou encore de l'Italie

---

1. Insee 2013 ; http://www.insee.fr/fr/themes/tableau.asp?reg_id=98&ref_id=CMPTEF05530
2. Panorama 2013 des pratiques de gouvernance des sociétés cotées, Ernst & Young (EY), octobre 2013.

(quota à 33 %). Le Royaume-Uni, l'Allemagne et le Danemark entre autres, n'ont pas de quotas. Leurs administratrices sont donc là sans obligation de qui que ce soit, mais par choix, et par culture.

Il est indéniable que la question de la discrimination se pose moins au Danemark et dans les pays scandinaves qu'ailleurs dans le monde. Cette égalité est devenue l'ordre naturel des choses. Dans mes différents jobs, je ne me suis jamais posé la question de savoir si le fait d'être une femme influençait mes capacités. Quand je me trouve dans des réunions ou des conférences, le fait d'être souvent la plus jeune et la seule femme me laisse assez indifférente. Même les commentaires, par moments déplacés ou maladroits, de la part des hommes, m'affectent peu. Je pense que cela peut s'expliquer par le sentiment profond que je ne me sens ni supérieure ni inférieure à un autre être humain, qu'il soit homme ou femme. En France, j'ai dû apprendre à gérer les relations avec les hommes dans le monde des affaires, car il est souvent nécessaire de définir des limites d'une manière plus claire. Mais cela étant dit, que ce soit en France ou ailleurs dans mes nombreux voyages, j'ai toujours eu l'impression d'être aussi respectée que les hommes. A l'exception de certains pays du Golfe où cela reste encore difficile.

Cette égalité entre femmes et hommes au Danemark génère ainsi une harmonie palpable dans la société. D'un côté, parce qu'elle donne la possibilité aux femmes de s'épanouir entre carrière professionnelle et vie privée. De l'autre, parce qu'elle rend aux hommes la liberté de s'investir sans complexe dans leur vie de famille. D'une certaine façon, le Danemark applique depuis longtemps cette belle phrase du poète français Louis Aragon : «La femme est l'avenir de l'homme.»

Conclusion

Le soleil se couche après une journée idyllique dans cette jolie maison en bord de mer, loin de tout. L'endroit est magique. C'est ici que j'ai trouvé l'inspiration et la paix pour écrire une grande partie de ce livre. Je referme l'ordinateur, très heureuse de ce moment précieux. J'enfile une petite robe pour aller prendre l'apéritif face à la mer avec mes amis. Je me dis : «Quelle chance... de bons amis, des fous rires, des conversations qui durent toute la nuit, la nature sauvage, le soleil qui brille, le calme absolu, le temps suspendu dans l'écriture... mais quel bonheur!» Et là, mon portable sonne. C'est ma belle-mère : «Malene, il faut que tu rentres au Danemark. Vite. Ton père est à l'hôpital. Il s'est fait opérer en urgence et ça s'est très mal passé. Il est dans le coma.» Et voilà «mon bonheur» qui m'est arraché en quelques secondes. Je saute dans le premier avion pour Copenhague, effondrée par cette nouvelle.

Pourquoi je vous raconte cela ? Tout simplement parce qu'après avoir passé plusieurs années à étudier le bonheur, et pas seulement le bonheur « danois », la seule chose qui m'apparaît vraiment claire, c'est qu'il n'est jamais constant. Il existe un « fantasme » collectif autour du bonheur qui en définitive nous rend surtout malheureux, ou du moins frustrés : l'idée selon laquelle le « bonheur » serait une sorte d'état permanent. Souvent, on imagine qu'une fois arrivé aux paliers de la vie « idéale », avec belle femme ou beau mari, enfants tout mignons, maison bien décorée, carrière rêvée... notre « bonheur » durerait indéfiniment.

C'est une illusion bien sûr. La vie est en mouvement perpétuel, elle est imprévisible, faite de surprises, bonnes ou mauvaises. Certaines situations donnent du plaisir, d'autres de la peine. Ce qui est important, c'est qu'on revient toujours à ce que j'appellerais sa propre base de bien-être, ou de mal-être d'ailleurs. Cette base intime, construite tout au long de notre histoire personnelle, est notre point de départ pour profiter ou résister aux événements de la vie. C'est elle, essentiellement, qui détermine notre niveau de bonheur sur le long terme. On peut vivre des moments très éprouvants et s'appuyer sur une base solide de bien-être, ou au contraire des moments de grande joie mais avec une base fragile : le vrai bonheur, ou en tout cas le bien-être durable, ce ne sont pas ces moments, mais cette base à laquelle on revient sans cesse.

Mais qu'est-ce qui constitue une «bonne base»? Avant tout, notre chemin personnel, nos choix et nos efforts pour nous connaître nous-mêmes. Personne ne peut le faire à notre place.

L'environnement compte aussi beaucoup, c'est certain. Il favorise plus ou moins le développement d'une base solide de bien-être. On aura tendance à dire que l'amour de sa famille, dans l'enfance, est l'un des éléments fondamentaux de bien-être. Je crois que c'est vrai, en tout cas pour moi, l'amour de ma famille m'a donné une base solide pour entamer par la suite mon chemin vers une vie équilibrée et heureuse. Mais je ne pense pas qu'il y ait de règle mécanique : c'est un sujet compliqué, les plus grands spécialistes des sciences cognitives ou du développement personnel y réfléchissent, je ne peux pas prétendre y répondre ici. Pour moi, le pilier le plus important du bonheur, c'est l'amour sous toutes ses formes et variations.

Mis à part l'environnement affectif, l'environnement social joue également un rôle important.

Et c'est là que le modèle danois entre en jeu. Sa particularité est d'avoir su créer un système propice à rendre les gens heureux. En réalité, je dirais plutôt un système favorable à la construction individuelle d'une bonne base, faisant que chacun trouve sa place et se sente libre et confiant dans la vie. Le système danois est un socle solide. Parce qu'il repose sur la confiance, l'égalité, un certain réalisme, un sens du vivre ensemble et de la solidarité, il invite chacun à trouver librement la place qui lui ressemble. Voilà déjà un début très précieux pour aller vers «le bonheur», ou disons plutôt, encore une fois, vers le bien-être.

Mais le rôle du Danemark s'arrête là, à cet environnement favorable. Tout le reste relève de la responsabilité individuelle, du parcours que nous devons tous entreprendre pour être en phase avec nous-mêmes. On peut très bien être né dans le pays le plus heureux au monde et être malheureux. Et vice versa. Etre né au Danemark est loin d'être une garantie de bonheur. D'ailleurs, on l'a vu, le Danemark a aussi, comme les autres pays, son lot de gens malheureux qui se tournent vers les antidépresseurs ou l'alcool pour tenir le coup. Il a aussi ses inquiétudes, ses interrogations profondes : vous avez peut-être déjà vu des films assez connus de réalisateurs danois, comme le fameux *Festen* de Thomas Vinteberg, sorti en 1998, dans lequel une famille se dit des vérités qui font mal pendant un dîner, ou des films de Lars Von Trier, parmi lesquels *Dancer in the dark* qui a été couronné de la Palme d'or à Cannes en 2000, ou *Melancholia*, en 2011. Eh bien comme l'indique le titre du film, ce n'est pas un cinéma spécialement gai, il a des ombres et des malaises. Mais n'oublions pas que le Danemark, c'est aussi des films comme *Le Festin de Babette* de Gabriel Axel qui avait reçu un Oscar en 1988 : Babette, cuisinière dans un grand restaurant parisien, fuit la guerre civile de la Commune et se réfugie dans un petit village du Danemark. Un beau jour, après quinze ans de dur travail, elle gagne au loto, mais au lieu de garder l'argent pour elle, elle organise pour tout le monde un magnifique repas de cuisine française. Voilà : le Danemark, c'est comme chaque pays, comme chacun de nous, comme la vie même : des mélanges, des moments durs, des peurs, et des élans d'espoir, de joie, de partage.

Ce n'est pas un pays qui peut rendre une personne heureuse : le bonheur, le vrai, repose sur chaque individu et son intériorité. Encore une fois, une société peut uniquement nous donner de meilleurs éléments à la consolidation d'une base saine, celle sur laquelle on bâtira ensuite notre propre bonheur, sur laquelle on pourra vivre pleinement les moments de joie ou mieux résister aux épreuves de la vie.

Au contraire de la Babette du film, j'ai justement quitté «le pays le plus heureux au monde» pour aller chercher ailleurs mon propre bonheur. J'ai commencé ce chemin à 18 ans en arrivant à Paris. J'avais, dans mes bagages, cette base de bien-être que la société danoise m'avait offerte, mais aussi des avantages considérables grâce à l'amour reçu de mes parents : estime de moi, courage, confiance. Pourtant, comme je l'ai évoqué, la première période a été terrible : je devais faire face à beaucoup d'épreuves dans une culture qui m'était vraiment étrangère. La France était pour moi le plus beau pays au monde, mais la mentalité française me semblait tellement «exotique», tellement différente de ce que j'avais connu jusque-là ! J'avais par exemple le sentiment que les Français voulaient être les meilleurs coûte que coûte, ou que les enfants étaient beaucoup plus dépendants de leurs parents que chez moi. J'étais surprise de découvrir qu'on pouvait avoir le sens de l'élite, de vrais rêves de grandeur... et que la modestie n'était pas forcément reconnue comme une qualité première. Il me semblait que la mobilité sociale manquait encore d'huile, que l'«égalité des chances» était plus un idéal théorique qu'une réalité concrète. C'est sûr, la France et le Danemark ont des cultures différentes : on n'a pas le même rapport à l'impôt, à l'équilibre entre travail et vie privée, aux relations entre hommes et femmes...

«Si ça ne vous convient pas, vous n'aviez qu'à rester chez vous !» C'est vrai, pourquoi avoir décidé de m'installer ailleurs si le «parfait» modèle du bonheur est au Danemark ? D'abord, on l'a dit, parce que ce n'est pas un pays qui fait le bonheur, mais ce qu'on a à l'intérieur de soi. Ensuite, parce que je suis tombée amoureuse. Amoureuse de la France et de ses habitants. J'aime la passion des Français pour la vie. Ils savent mieux que personne profiter de bons moments à table tout en ayant des débats fascinants sur le sens de l'existence ! Oui, je les vois plutôt individualistes, mais avec une complexité tellement attachante, contrastée, qui leur donne à mes yeux beaucoup de profondeur et de charme. Les Français ont une capacité impressionnante à mettre du plaisir dans tout ce qu'ils font – même par moments les choses les plus banales de la vie ! Cela fait dix-neuf ans que je vis en France, et je découvre encore et toujours de nouvelles facettes de cette «personnalité française». Je suis bien consciente que les Français ne m'ont pas demandé de venir chez eux, et que ce n'est certainement pas à eux de s'adapter à mes références! C'est à moi de respecter le pays et le peuple qui me reçoivent chez eux. C'est aussi pour cela que j'ai passé beaucoup de temps à comprendre cette culture très belle et riche, et à apprendre à parler sa langue.

Mon choix personnel, pour mon propre bonheur, a donc été la France. Mais je sais que ma base de bien-être dans la vie est toujours très liée aux valeurs que le Danemark m'a données, à ces «dix raisons» que je viens de partager avec vous. Elles sont, au Danemark, toutes «réunies» dans une même culture, sur un même territoire. Mais je reste persuadée que l'on peut les retrouver, ou même les développer, aux quatre coins de la planète: même si le pays où l'on vit ne nous les donne pas forcément toutes sur un plateau comme au Danemark, on peut les chercher en soi et les cultiver dans sa vie.

Il suffit de voir comment, à travers le monde, des personnalités très différentes ont fait de ces valeurs un support essentiel à leur bonheur et à celui des autres.

La confiance. Muhammad Yunus, surnommé «le banquier des pauvres», en a fait son «arme» pour transformer l'économie du développement et le quotidien de dizaines de milliers de gens. En fondant la première institution de micro-crédit, la Grameen Bank, il a décidé de faire confiance aux milliers de personnes à qui il a accordé des microprêts sans garantie. La grande majorité ont été remboursés intégralement, même si le Bangladesh ne figure pas précisément en haut de la liste des pays où la confiance règne. Ce travail lui valut le prix Nobel en 2006. La confiance, et Muhammad Yunus en est un exemple extraordinaire, on la porte surtout en soi. C'est sûr qu'il y a des endroits et des pays où il faut faire plus attention, mais quand on regarde bien les gens dans les yeux, la confiance peut s'établir partout. La confiance dans les institutions et les gouvernements est plus complexe, la corruption s'en mêle parfois, les enjeux nous dépassent. Pour créer une société de confiance il faut d'abord que chaque personne applique à elle-même ce principe.

L'éducation. On l'a vu, le système scolaire est souvent conditionné par une course à l'excellence. La référence mondiale en matière d'éducation demeure encore principalement l'apprentissage par cœur et la bonne note, et non le plaisir ou l'envie d'apprendre des enfants. Mais là encore chaque parent peut décider de mieux accompagner son enfant sur le chemin de son épanouissement sans lui imposer d'être le meilleur ou de servir de support à la projection de ses propres ambitions. Quand j'en discute avec l'une de mes amies chinoises, elle me dit toujours : «Même si l'école en Chine entraîne ma fille dans la course à l'élite, je veille à ce qu'elle trouve sa place à elle, sans pression de ma part.» Preuve que les Danois n'ont pas l'exclusivité d'une éducation qui veille à l'épanouissement personnel de l'enfant. Plus près de chez nous, en Allemagne, mais plus loin dans le temps, en 1919, le philosophe Rudolf Steiner fondait déjà la première école libre «Waldorf» sur des théories éducatives très innovantes, valorisant à la fois enseignements intellectuels et activités artistiques et manuelles. Avec 1 025 écoles dans le monde, «Waldorf Steiner» est aujourd'hui le plus grand réseau scolaire indépendant au monde.

La liberté et l'autonomie. Trouver son propre chemin dans la vie, en étant attentif à ce que

l'on est vraiment, et à ce que l'on aime faire :
c'est un chemin difficile, mais si on est prêt
à payer le prix, cela vaut la peine de se battre
pour se libérer d'une vie ou d'un chemin que
notre entourage – société, famille, conven-
tions – nous impose. La très courageuse Malala
Yousufzai par exemple a choisi cette voie. Cette
toute jeune femme pakistanaise a pris son destin en main pour se battre contre un système
entier : elle a engagé une remarquable lutte
pour l'éducation des filles. Elle a failli y laisser
sa vie, victime d'une tentative d'assassinat. En
2013, elle est la plus jeune personne de l'histoire à avoir été nominée pour le prix Nobel de
la paix. Difficile ici de ne pas avoir une grande
pensée pour Nelson Mandela. Il est sûrement la
figure historique qui incarne le mieux le com-
bat incroyable et admirable d'une personne qui
a choisi de dédier sa vie à la constitution d'un
monde meilleur.

L'égalité des chances. Nous avons tous les
jours le choix d'y participer, en donnant, à
notre mesure, sa chance à quelqu'un. En atten-
dant que la solution vienne d'«en-haut», des
décideurs publics ou privés, chaque geste de
chaque individu peut changer le destin d'une

personne. Les grands domaines de l'égalité de chances restent le sport et l'entrepreneuriat. Mais là encore il faut des gens qui encouragent et poussent les jeunes. Le chef français Thierry Marx (deux étoiles au «Michelin») a ouvert une formation gratuite aux métiers de la restauration nommée «Cuisine, mode d'emploi(s)», destinée en priorité aux jeunes sans diplôme dans des situations difficiles. De même l'entrepreneur Xavier Niel, français lui aussi, a créé une école entièrement gratuite dans le domaine du numérique. Il a voulu rendre accessible une formation adaptée et qualitative à toute personne douée et volontaire. Ces initiatives donnent de l'espoir et peuvent inspirer chacun d'entre nous pour aider les autres et leur donner une chance.

Les attentes réalistes. Tout en gardant l'ambition de donner un sens à notre vie, la «vie à la danoise» révèle que des attentes réalistes nous aident à vivre mieux. Et rassurez-vous, être réaliste ne veut pas dire être dénué d'ambitions. Savez-vous qui a écrit cette phrase: «J'aime toujours voir le côté optimiste dans la vie mais je suis suffisamment réaliste pour savoir que la vie est une affaire très complexe»? C'est le fameux Walt Disney, qui a su créer un univers de rêves pour les enfants du monde entier, et aussi pour les adultes. Se fixer des objectifs réalisables est un bon début pour être heureux. Ce qui ne veut pas dire renoncer à ses rêves, mais être réaliste par rapport au temps nécessaire ou au prix à payer pour y parvenir. « La moitié du malheur du monde est dû à l'échec de projets qui n'étaient pas réalistes et souvent même impossibles », soutenait aussi l'écrivain et éditeur américain Edgar Watson Howe.

La solidarité. Le respect de l'autre, c'est un choix personnel. Quel que soit le pays dans lequel nous vivons, nous sommes tous libres de choisir comment nous comporter face aux autres. Que notre système social soit structuré ou non pour la redistribution, nous sommes tous libres de partager à notre manière. John F. Kennedy disait : « Ne te demande pas ce que ton pays peut faire pour toi, mais ce que tu peux faire pour ton pays. » Les américains Bill et Melinda Gates sont un bon exemple de cette solidarité. En 2000, ils ont créé la fondation Bill-et-Melinda-Gates qui a pour objectif d'aider la population mondiale en matière de santé et d'éducation. Ils ont annoncé qu'ils donneraient 95 % de leur fortune, estimée à 73 milliards de dollars, à la fondation. En 2010, ils ont lancé une initiative appelée «The Giving Pledge», qui appelle les personnes les plus riches de la planète à donner 50 % de leur fortune aux causes solidaires dans le monde. Warren Buffett s'est ainsi engagé à faire don de 99 % de sa fortune. D'accord, même avec 1 %, il lui reste largement de quoi vivre : mais il faut reconnaître que ce n'est pas un geste si facile, et qu'il n'est pas suivi par toutes les grandes fortunes de ce monde. Même si vous ne payez pas autant d'impôts que les Danois et que vous n'avez pas la même confiance dans les institutions, vous avez la liberté personnelle d'être ou non solidaire avec le monde qui vous entoure.

L'équilibre entre la famille et le travail. C'est aussi à chacun de le choisir, ça n'a pas été inventé par les Danois! Par exemple, le grand entrepreneur anglais Richard Branson est connu pour valoriser le rôle de sa famille et en faire toujours une priorité de sa vie. Aux personnes qui doivent composer avec des métiers très prenants, il suggère tout simplement de réserver dans leur agenda un espace pour leur famille. Les sociétés qui ont compris l'importance de l'équilibre entre carrière et vie privée vont à mon sens attirer les meilleurs talents de demain. Les employés heureux sont plus efficaces et plus fidèles. Le choix d'une carrière dans une société qui ne prend absolument pas cet aspect en compte reste personnel. Nous avons tous plus ou moins la possibilité de nous orienter vers des métiers ou des sociétés qui nous offrent cet équilibre, quel que soit le pays ou le système dans lequel nous vivons.

L'argent. C'est une question très liée à la précédente. Et là encore, pas besoin d'être au Danemark pour avoir d'autres priorités dans la vie. J'ai trouvé touchant l'exemple d'un retraité canadien, Tom Crist, qui a gagné il y a quelques mois le jackpot de la loterie nationale : 42 millions de dollars ! Il a décidé de reverser la totalité de ses gains à des associations caritatives, en particulier à une fondation pour la recherche sur le cancer, ayant lui-même perdu sa femme deux ans plus tôt de cette maladie. « J'ai assez pour vivre sans cela, pour moi et mes enfants. Pour moi c'était une évidence de tout donner. » Comme quoi...

La modestie. Pas forcement simple de trouver des exemples de grands modestes, car justement ils ne veulent pas que l'on parle d'eux. Ils préfèrent se concentrer avec discrétion sur l'essentiel. François Michelin, l'ancien patron des célèbres pneus français, ne voulait jamais accorder d'interview ni parler de lui. Il aurait pourtant eu de quoi se vanter, à la tête d'une des entreprises les plus connues au monde, qui fait rouler les Airbus et les Rolls-Royce. Zinedine Zidane est également un bel exemple d'homme au talent incontestable et mondialement reconnu. Pourtant il a su garder une grande modestie : «Les performances individuelles, ce n'est pas le plus important. On gagne et on perd en équipe.» L'humilité caractérise souvent les gens les plus heureux. Et les plus engagés pour les autres, à l'image de l'immense Gandhi : mener des batailles pour les autres est en soi une forme d'humilité vis-à-vis de soi-même et de la vie.

L'égalité hommes-femmes. On ne se bat bien évidemment pas pour elle qu'au Danemark, mais aux quatre coins du monde. En Chine, une femme comme Guo Jianmei consacre sa vie à défendre les droits de la femme. Derrière elle, peu à peu, les femmes chinoises osent affirmer leur place dans la société. En France, la philosophe française d'origine bulgare Julia Kristeva a créé, à l'occasion du centième anniversaire de la naissance de Simone de Beauvoir, le prix Simone de Beauvoir pour la liberté des femmes, qui récompense l'œuvre et l'action exceptionnelles de femmes et d'hommes qui contribuent à promouvoir la liberté des femmes dans le monde. Ce sont des batailles usantes, souvent contre des systèmes très difficiles. Mais celles et ceux qui les conduisent ont conscience qu'il en va du bonheur de millions de personnes.

On pourrait multiplier les exemples : anonymes ou célébrités, ici ou au bout du monde, des personnes extraordinaires se battent et s'engagent à leur façon pour défendre ces « dix piliers », pour que chaque individu ait les meilleures chances de construire une base solide à son bien-être.

Au fil de mes voyages à travers le monde, j'ai eu la chance de rencontrer des cultures et des personnes qui m'ont permis de mettre en perspective ma propre base et mes références. J'ai réalisé que c'était une chance de naître au Danemark et de grandir avec les valeurs que j'ai partagées avec vous dans ce livre. Mais j'ai aussi réalisé que l'essentiel, derrière ces « dix piliers», tenait finalement à une chose qui les résume tous : la liberté de rester fidèle à soi-même. «Qu'est-ce que le bonheur sinon l'accord vrai entre un homme et l'existence qu'il mène?» Cette si belle phrase, d'Albert Camus, je crois que nous devrions la garder bien précieusement en chacun de nous.

Savoir qui l'on est demande du temps et des efforts. Alors je voudrais partager avec vous quelques «philosophies de vie» très simples que j'ai cueillies au long de mon chemin. Elles m'aident à vivre mieux tout en cultivant mon bien-être et mes moments de bonheur. Je suis sûre que vous avez, vous aussi, déjà expérimenté certaines d'entre elles.

1/ Je suis mon propre meilleur ami: la seule personne avec laquelle on est sûr de passer du temps, beaucoup de temps, jusqu'à la fin de nos jours, c'est soi-même. Nous avons sacrément intérêt à bien nous entendre avec nous-même, sinon le voyage de la vie peut être très long et même pénible. En s'écoutant, en apprenant à se connaître et en prenant soin de soi, on consolide une base solide pour une vie heureuse. Le bonheur ou le bien-être sur le long terme commence par la connaissance de soi-même. Comme le dit très joliment Gandhi, «le plus grand voyageur n'est pas celui qui a fait dix fois le tour du monde, mais celui qui a fait une seule fois le tour de lui-même».

2/ J'arrête de me comparer aux autres : la source la plus sûre du mal-être, c'est la comparaison, la course infernale au «toujours plus, jamais content», pour au fond avoir seulement plus que les autres. La seule exception qui peut éventuellement donner des sentiments positifs, c'est de se comparer à ceux qui ont moins. Bien évidemment sans se prendre pour un être supérieur, mais en ayant conscience de la chance que l'on a! Le grand philosophe français Voltaire l'a déjà dit en 1772 dans un «conte moral» intitulé *La Bégueule* : «le mieux est l'ennemi du bien».

3/ J'oublie les normes et les pressions de la société : plus on se sent libre de faire les choses dans l'ordre qui nous convient et de la façon qui nous correspond, plus on augmente la probabilité de se trouver en phase avec soi-même et finalement de vivre «sa» vie, et non celle que l'on attend de nous.

4/ *J'ai toujours un plan B* : quand on a l'impression de n'avoir qu'un seul choix dans la vie, on a très peur de perdre ce que l'on a. La peur nous fait souvent prendre les mauvaises décisions pour les mauvaises raisons. En ayant envisagé d'autres chemins possibles, on est mieux préparé à surmonter les épreuves de notre plan A d'une manière qui nous ressemble.

5/ *Je choisis mes batailles* : nous sommes face à des batailles tous les jours. Des grandes et des petites. On ne peut pas toutes les mener, c'est impossible. Il est très important de savoir choisir les bonnes batailles dans la vie, celles qui nous apportent vraiment quelque chose. Pour le reste, eh bien, il vaut mieux apprendre à faire comme l'eau sur les plumes d'un canard.

6/ *Je suis honnête avec moi-même... et j'accepte la vérité* : Plus on est réaliste et lucide, plus on arrive à trouver la bonne solution face à une situation délicate. Quand le point de départ, aussi difficile soit-il, est basé sur la vérité et que l'on arrive à l'accepter, c'est déjà une manière formidable de ne plus lutter contre des choses que l'on ne peut pas changer et de se concentrer sur celles qui peuvent être améliorées. Bon diagnostic, bonne thérapeutique : pas de vraies solutions possibles sur un mensonge.

7/ *Je cultive un idéalisme... réaliste* : avoir de beaux projets qui donnent un sens à notre existence, c'est vital... tout en gardant des attentes réalistes. Cela vaut aussi pour nos relations : moins nos attentes sont élevées vis-à-vis des autres, plus on a des chances d'être agréablement surpris dans la vie.

8/ *Je vis au présent* : vivre au présent, c'est choisir de profiter du voyage lui-même, sans fantasmer sur la destination ou regretter le point de départ. Je garde à l'esprit cette jolie phrase qu'une très belle personne m'a dite un jour : «Le but est dans le chemin et ce chemin n'a pas de but.» On est en route, le paysage défile, on avance, et c'est tout ce que l'on a vraiment. C'est important d'être guidé par un projet, mais le bonheur se trouve rarement à l'arrivée : il est sur le chemin, le chemin de la vie.

9/ *Je me réserve plusieurs sources de bien-être* : c'est un peu l'expression de bon sens «je ne mets pas tous mes œufs dans le même panier». La dépendance à une seule source de bonheur

– son travail, une personne qu'on aime... – est très risquée, car elle est fragile. Avoir beaucoup de sources, de personnes ou d'activités qui nous rendent heureux, c'est un équilibre précieux à cultiver au quotidien. Une source très importante pour moi, c'est le rire, cela donne une sensation de bien-être quasiment immédiate.

10/ J'aime les autres : l'amour, le partage et la générosité sont les plus belles sources de bonheur selon moi. Partager et donner multiplient les moments de bonheur et, croyez-moi, ces instants consolident notre bien-être à long terme. Albert Schweitzer, prix Nobel de la paix en 1952, en savait quelque chose quand il disait : «Le bonheur est la seule chose qui se double si on le partage.»

Une dernière chose, avant de reprendre chacun notre route, je l'espère, vers le bonheur : le livre que vous avez entre les mains, je l'ai commencé et l'ai écrit, curieusement, dans un moment difficile de ma propre vie. Et à l'heure de l'achever, je réalise que je me sens profondément heureuse d'avoir partagé avec vous tant de réflexions et d'aventures qui me tiennent à cœur. Paradoxe ? Non. Tout dernier clin d'œil que nous fait le bonheur : quelles que soient les épreuves que la vie nous envoie, être fidèle à soi-même et partager – car l'écriture c'est bien cela, à la fois sincérité et ouverture – restent à mes yeux la meilleure manière de retrouver sa base de bien-être. Sur cette base, danois ou pas, la vie nous fait parfois le cadeau d'accomplir nos rêves. Vous vous souvenez de la petite fille de 9 ans qui voulait devenir ambassadrice du Danemark ? Eh bien d'une certaine façon, si ce livre parvient à faire voyager quelques belles idées de mon pays, je serai comblée.

Remerciements

Merci à mes parents de m'avoir offert cette base précieuse grâce à l'amour, la confiance et la liberté qu'ils m'ont donnés. Merci particulièrement à ma mère d'avoir dévoué sa vie et son énergie à veiller à mon bien-être. Merci à mon frère Jesper pour son indéfectible soutien, sa franchise, son inspiration et sa bienveillance. Merci à mes amis proches pour leur présence inestimable, leurs encouragements et leur enthousiasme tout au long de cette aventure. Merci infiniment à Mathilde Oliveau qui m'a accompagnée dans l'écriture de ce livre en m'apportant son regard critique et inspirant, toujours avec beaucoup de douceur. Merci à Susanna Lea pour ses conseils précieux et sa bonne énergie. Merci à Olivier Nora et toute l'équipe de Grasset pour leur confiance et leur soutien.

Cet ouvrage a été imprimé en France
par CPI Bussière
à Saint-Amand-Montrond (Cher)
en avril 2014

Composition MAURY-IMPRIMEUR
45330 Malesherbes

Grasset s'engage pour
l'environnement en réduisant
l'empreinte carbone de ses livres.
Celle de cet exemplaire est de :
400 g éq. CO$_2$
PAPIER À BASE DE   Rendez-vous sur
FIBRES CERTIFIÉES   www.grasset-durable.fr

N° d'édition : 18327 – N° d'impression : 2009064
Dépôt légal : mai 2014
Imprimé en France